간호사 · 수련의를 위한

세상에서 가장 간단한 혈액가스

저자 | Kogawa Rikimaru
역자 | 남지명 (삼성서울병원 중환자 간호팀)
이희옥 (삼성서울병원 중환자 간호팀)
정진희 (삼성서울병원 중환자 간호팀)
이영희 (성균관대학교 임상간호대학원)

간호사·수련의를 위한

세상에서 가장 간단한
혈액가스

첫째판 1쇄 인쇄 ┃ 2021년 09월 07일
첫째판 1쇄 발행 ┃ 2021년 09월 17일

지 은 이　古川力丸 (코가와 리키마루)
옮 긴 이　남지명, 이희옥, 정진희, 이영희
발 행 인　장주연
출 판 기 획　한인수
책 임 편 집　임유리
발 행 처　군자출판사
　　　　　등록 제4-139호(1991.6.24)
　　　　　(10881) 파주출판단지 경기도 파주시 회동길 338(서패동 474-1)
　　　　　전화 (031)943-1888　팩스 (031)955-9545
　　　　　www.koonja.co.kr

NĀSU · KENSHUI NO TAMENO SEKAI DE ICHIBAN KANTAN NI
KETSU GASU GA WAKARU, TSUKAI KONASERU HON
text by Kogawa Rikimaru
Copyright ⓒ 2016 Kogawa Rikimaru
All rights reserved.
Original Japanese edition published by MEDICUS SHUPPAN, Publishers Co., Ltd.
Korean translation rights arranged with MEDICUS SHUPPAN, Publishers Co., Ltd.
through A.F.C Literary Agency.

* 파본은 교환하여 드립니다.
* 검인은 저자와의 합의 하에 생략합니다.

ISBN 979-11-5955-754-5

정가 20,000원

이 책을 선택해주신 독자 여러분에게 감사드립니다.

전작 『세상에서 가장 유쾌한 인공호흡관리』를 출간하고 어언 3년이 흘렀습니다. 만반의 준비를 마친, 『세상에서 가장~』 시리즈의 두 번째 작품입니다. "『세상에서 가장~』이라고 허풍 떨어도 괜찮아요?"라는 말을 몇 번이나 들었지만, 여기까지는 괜찮습니다. 안심하셔도 됩니다. 두 번째 작품까지는 충분히 자신 있습니다. 문제는······ 세 번째라고 할까요. 기대해 주십시오!

이번 주제는 혈액가스 분석, 줄여서 '혈액가스'입니다.
이미 혈액가스를 읽을 수 있는 분이라면 이런 제목의 책을 선택할 일이 없을 것입니다. 아마도 아직 혈액가스를 읽지 못하는 분들이 불안함에 이 책을 선택하셨을 것이라 생각합니다.
혈액가스는 15분 정도만 투자하시면 누구나 읽을 수 있습니다. 혈액가스를 읽을 수 없다니 아쉽군요. 혈액가스는 간단하게 읽을 수 있고, 이를 능숙하게 다뤄 치료나 간호에 활용할 수 있다는 점이 중요합니다.
애초의 기획 의도는 약 5페이지 분량의 '세상에서 가장 알기 쉬운' 혈액가스 서적으로 가볍게 만들 예정이었습니다. 그런데 편집 담당자로부터 "아무리 이해하기 쉽다 해도, 5페이지 분량의 책은 판매하기 어려워요······."라는 말을 듣고, 울며 겨자 먹기로 가필에 가필을 거듭해 이 책이 나오게 되었습니다.

그럼 5페이지가 넘는, 대략 120페이지에 이르는 분량에 어떤 내용을 담았냐고요?

까다로운 계산식은 때려치우고(사실은 페이지를 늘리기 위해 계산식을 많이 넣고 싶었지만, 공교롭게도 기억이 잘 나지 않아서), 임상에서 혈액가스를 잘 사용할 수 있는 방법이나 요령에 대하여 엮어보았습니다.

빨리 혈액가스를 읽어보고 싶다!
이 환자, 혈액가스를 검사해보는 것이 좋지 않을까?
대사성 알칼리증 같은데, 혈액가스를 검사해보자!

이런 친근감으로 임상에서 척척 활용할 수 있게 된다면 기쁘겠습니다. 꼭 처음부터 끝까지 읽어 보시기 바랍니다. 일단 읽기 시작하면, 이해하기 쉽다는 점과 그 즐거움에 매료될 것입니다. 그리고 다 읽은 후, 당신은 어렵지 않게 혈액가스를 읽을 수 있게 될 것입니다.

"그러면 이 책은…… 더 이상 당신에게 필요 없습니다." 소중한 동료에게 줘버리십시오.

누구에게나 혈액가스가 친숙해져서 이 책이 잊혀지는 날이 오기를 기대하며.

2015년 12월
코가와 리키마루

CONTENTS

CONTENTS

전문의

리키마루 선생
조용히 알려진 호흡관리 전문가(아마도). 인공호흡관리와 혈액가스에 대해서는 이 분과 겨룰 사람이 없다(없을지도 모른다). 별명: ICU의 신.

수련의

현재 전문의 리키마루 선생님 밑에서 지도 받고 있는 수련의. 장난스럽지만 환자들로부터 사랑받고 있다. 간호사가 조금 신경 쓰인다(아마도 간호사가 전문의 선생님을 좋아하는 것 같다).

간호사

임상에서 환자들과의 의사소통을 너무 좋아한다. 숫자 쪽은 서투르고, 혈액가스와는 거리를 둔 지 벌써 5년. ICU의 신(神)이라는 별명을 지어준 당사자(이해할 때의 느낌이나 졸면서 움직임이 없는 모습이 마치 동상 같다). 얼마 전 술에 취한 환자가 난동을 부릴 때 도와준 후, 수련의 선생이 약간 걱정된다.

session 1 들어가며: 혈액가스 검사란 무엇인가?

처음 뵙는 분도 있을 것이고, 전작 『세상에서 가장 유쾌한 인공호흡관리』 이후로 오랜만에 오신 분도 계실 겁니다. 이번에는 전작에서도 호평 받았던 혈액가스 읽는 법을 한층 개편하여 혈액가스를 보다 가까이에서 보다 쉽게, 누구나 활용할 수 있게 하자는 마음으로 펜을 들었습니다.

혈액가스 검사란 무엇일까요?
PaO_2로 산소화를 보는 것?
$PaCO_2$로 환기를 보는 것?
산염기 평형을 보는 것?
신속한 검사로 다양한 항목을 볼 수 있는 편리한 검사?

아주 심오한 혈액가스 검사를 보다 많은 임상현장에서 적용해 보세요. 반드시 당신의 능력으로 소중한 환자들에게 도움이 될 수 있을 것입니다. 자, 신나게 뛰어들어 봅시다! 지금부터 즐거운 시간이 시작됩니다.

전문의 리키마루의 혈액가스 이야기 ❶

이 책은 통째로 '혈액가스'를 다룬 책입니다. 그러나 항간의 기초 생리학이나 예측식이나, 잘 모르는 공식(실례?)이 가득 나오는 책은 아닙니다. 임상 현장의 여러분이 좀 더 혈액가스를 가까이에서 느끼고, 능숙하게 사용하기 위한 소위 노하우(입문서)입니다. 학문적 사용 설명서가 아닌 혈액가스에 흥미를 가진 분들에게 더욱 혈액가스의 매력을 전할 수 있는 내용입니다.

9

자, 혈액가스란 무엇일까요? 혈액가스란 혈액가스분석의 약어인데, 무엇을 위해 측정하는지 지금 한 번 확인해 봅시다.

① 산소화 평가
② 환기 평가
③ 산염기 평형 평가
④ 그 외(신속검사로서 전해질 · 젖산 수치 측정 등)

모든 검사에는 크고 작은 침습성이 있기 마련이며, 비용(재료비, 인건비)도 소요됩니다. 치료로 연결되지 않고 목적이 불명확한 '일단 해 두자' 식의 검사는 삼가해야 합니다. 검사 목적을 명확하게 했을 때, 검사 결과에 따라 다음 대처가 자연스럽게 분명해지는 법입니다.

'산소화가 나쁠 것이다'라는 이유로 혈액가스를 검사하는 것이라면, 산소 투여나 인공호흡 혹은 원질환의 치료(이뇨제 증가 등)라는 대처로 이어지겠지요.

'환기가 나쁠 것이다'라는 이유라면, 혈액가스 결과에 따라서는 인공호흡이 필요합니다. 환기(CO_2)가 나쁘다고 생각된다면, 산소 투여는 불필요하다는 목적을 명확하게 밝힐 때 잘못된 대처를 막을 수도 있습니다.

'산염기 평형을 확인해 보자'의 경우, 다양한 상황을 생각할 수 있습니다. '뭔가 이상하다'의 원인을 파악할 수도 있는가 하면, 신부전의 투석 적용을 검토하는 경우도 있을 것입니다. 쇼크나 호흡부전에 따른 인공호흡 적용을 평가하는 경우도 있을 겁니다.

신속하게 전해질과 혈당을 확인하고 싶어서 혈액가스를 검사하는 등, 그 외의 항목을 목적으로 하는 경우도 있을 겁니다. 전해질이 비정상이라면 전해질 보정, 혈당수치에 이상이 있다면 인슐린이나 포도당을 투여합니다. 모든 임상 검사는 목적의식을 가지고 실시하는 것이 중요합니다.

간호사 저는 혈액가스에 굉장히 흥미가 있어서 지금까지 몇 번이나 공부를 시도했었는데요. 늘 좌절하고 말았어요. 두 선생님, 오늘 잘 부탁드립니다.

수련의 저도 지금까지 왠지 혈액가스를 읽는 게 부담스러웠어요. 이번 기회를 계기로 혈액가스를 마스터하고 싶습니다.

전문의 저야말로 잘 부탁드립니다. 두 분, 아주 의욕이 넘쳐 보여요. 혈액가스를 직접 공부해 볼까 생각한 적 있었나요?

수련의 저는 공부 의욕은 있었지만, 아쉽게도 수련의다보니 공부해야 할 다른 것들이 너무 많아 틈이 없었어요.

간호사 저는 지금까지 책 몇 권 정도는 샀습니다. 근데 처음 몇 페이지에서 항상 좌절하곤 했어요. 의욕은 있는데 계산식 같은 게 어려워서…….

전문의   모두 그런 느낌이죠. 실제 혈액가스를 제대로 읽을 수 있는 의료진은 드물 것이라고 생각해요. 의사들 중 혈액가스를 읽을 수 있는 분들은 대략 30~40% 정도 되지 않을까(실례! 지나친 말?) 합니다.

간호사   역시 혈액가스는 어려운가 봐요. 계산하는 것도 귀찮고.

수련의   책도 두꺼워서 처음 생리학이나 계산식에서부터 의욕이 꺾여 버려요.

전문의   그렇습니다. 저도 지금까지 다양한 혈액가스 관련서를 접해 보았지만, 그다지 추천할만한 책이 없더군요. 물론, 좋은 책은 많아요. 저도 모르는 지식이 쓰여 있거나, 편리한 계산식이 나와 있거나. 하지만 초심자들이 처음으로 읽어 주었으면 하는 혈액가스 책이 없어요. 그래서 이번에 펜을 들어 본 것입니다.

간호사   좋은 책은 많은데, 초심자에게 추천할 만한 책은 없다……?

전문의   맞아요. 초심자를 대상으로 한 How to (어떻게) 책 같은 느낌을 상상해보세요. 『누구나 알 수 있는 PowerPoint 20XX』같은.

수련의   상상, 완료되었습니다!

전문의   혈액가스 검사는 심오하고 대단해요. 혈액가스를 측정하면 혈액가스 검사 결과만으로 살리실산(salicylic acid) 중독을 확인할 수 있어요.

수련의   멋있어요!

간호사   이미 신의 영역이군요.

전문의   하지만 환자의 대부분이 혈액가스 검사 결과만으로 진단·치료해야 하는 건 아니죠.

간호사   맞아요. 병력을 읽으면 살리실산을 많이 먹었다고 쓰여 있을 것 같아요.

수련의   의사로서 언젠가 올라가보고 싶은 정상이긴 해요.

전문의   그래서 이번에는 간단하게 혈액가스를 읽고 잘 이해하기 위한 시간으로 만들기로 해요. 두 사람, 혈액가스를 읽을 수 있기를 바라는 거죠? 혈액가스를 읽을 수 있다는 건 무슨 뜻일까요?

간호사   혈액가스 검사 결과를 보고, ○○성 ○○증을 분류할 수 있다는 뜻 아닐까 요?

전문의   맞습니다. 대부분의 사람들이 혈액가스를 보고, ○○성 ○○증을 분류할 수 있게 되기를 바랍니다. 나중에 설명하겠지만, 혈액가스를 분류하는 것뿐이라면 15분으로 충분합니다. 저는 지금까지 고등학생이나 약사, 물리치료사 등 평소 혈액가스에 그다지 익숙하거나 친하지 않은 사람들에게도 혈액가스를 가르쳐 왔지만, 대부분 15분 정도면 분류할 수 있었습니다.

간호사   오늘 하루 종일 비워 놓았는데, 15분으로 끝나 버리면 조금 슬플 것 같아요.

전문의   그렇죠? 혈액가스 분류에 도움을 줄 수 있는 책을 써도 불과 몇 페이지로 충분합니다. 몇 페이지에 불과한 책이 팔릴 리 없지요. 어때요? 아주 이해하기 쉽고, 간단하게 혈액가스를 읽을 수 있는 책(몇 페이지)이 겨우 5,000원!

13

수련의 아무리 이해하기 쉬워도 몇 페이지 책이 5,000원이라면 왠지 수지가 맞지 않을 것 같은데요.

간호사 그래서 항간의 책들도 생리학을 넣거나, 공식·예측식을 삽입해서 두껍게 만든 것 같았어요.

전문의 그럴지도 몰라요(^^). 그래서 이 책도 편집 담당 Y씨에게 "몇 페이지 책은 판매하기 어렵습니다!"라고 혼나는 바람에 시시한 내용을 잔뜩 실어 보았습니다.

간호사 하하. 그럼 나중에 그 최소한의 몇 페이지를 몰래 가르쳐 주세요!

수련의 그런데 다른 부분도 쓸데없는 지식은 아니겠죠?

전문의 물론입니다! 이 책에서는 그 외의 부분에 혈액가스가 왜 중요한지, 어떤 상황에서 활용해야 할지, 혈액가스를 읽을 수 있게 된 후 어떻게 해야 할지 등과 관련하여 혈액가스 검사를 더 활용하기 위한 내용을 포함시켜 보았습니다. 간호사님, 앞으로 배울 내용으로 혈액가스를 완벽하게 OO성 OO증으로 분류할 수 있게 되었다고 합시다.

간호사 기뻐요!

전문의 하지만 거기까지라면, 환자에게 뭔가 이익이 있을까요?

수련의 아니군요. 자기만족적인?

간호사 그 다음을 이 책에서 보여준다는 건가요?

전문의 네. 혈액가스 분류는 누구나 할 수 있습니다. 그것도 놀랄 만큼 간단하게. 그리고 거기에서 원인을 추측하거나 찾기 위해 추가 신체검진이나 검사, 또는 적절한 모니터링을 선택하는 것이 가장 중요합니다.

session point

● 혈액가스 검사를 실시하는 목적(산소화, 환기, 산염기 평형, 그 외의 부수 검사 항목)을 명확히 합니다. 목적에 따라 주의할 항목이나 그 후의 모니터링 항목이 바뀝니다.

● 이 책을 읽으면 누구나 혈액가스를 분류할 수 있게 됩니다. 중요한 것은 그 후의 치료에 활용하는 것입니다.

● 처음부터 혈액가스 마스터를 목표로 삼지 말고, 우선 일상적으로 익숙해지는 것부터 목표로 합니다.

session

2 우선, 산소화를 평가하자

우선, 가장 친해지기 쉬운 산소화부터 생각해보겠습니다. 전작 『세상에서 가장 유쾌한 인공호흡관리』를 읽으신 분에게는 다소 중복된 내용일 수도 있습니다. 그러나 이 책을 처음 접하신 분도 많을 것이므로 다시 한 번 동행해 주시기 바랍니다. 전작부터 함께해 주신 팬 여러분, 자랑스럽게 술술 읽어 나갑시다.

산소화는 호흡관리 중 가장 친숙하고 흔한 관리지만, 반면에 함정이 많은 것도 사실입니다. 호흡관리 전문가가 되는 첫걸음, '산소화와 환기'를 항상 염두에 두며 생각하도록 합시다.

전문의 리키마루의 혈액가스 이야기 ❷

이 세션에서는 '산소화: oxygenation'에 대해 좀 더 깊이 생각해보겠습니다. 왠지 일상적이고 평범한 내용으로 생각될 수도 있겠지만, 매우 중요한 기본 사항이므로 조금만 분발하고 참아 주세요.

호흡이란 산소를 흡수하고 이산화탄소를 배출하는 것입니다. 이것을 산소화와 환기라고 합니다. 본래 우리의 호흡에서 이 산소화와 환기는 거의 동시에 수행되어 뗄레야 뗄 수 없는 관계입니다. 하지만, 호흡관리를 생각할 때는 이 **'산소화와 환기를 구분하여 생각한다'**라는 것이 매우 중요합니다. 호흡부전의 원인으로 I형 호흡부전과 II형 호흡부전 등의 용어가 흔히 사용되는데, **I형 호흡부전이 산소화 장**

애, II형 **호흡부전이 환기 장애를** 의미합니다. 또, 산소화와 환기 중 어느 쪽이 나쁜지 알 수 있다면 자연스럽게 원인도 좁혀지며, 대처도 명확해집니다. 호흡을 평가할 때는 우선 '산소화'와 '환기' 평가에 유의합니다. 그럼 산소화는 어떻게 평가할까요?

여러분도 아시다시피, 산소화는 산소포화도나 PaO_2로 평가합니다. 이는 호흡을 평가하는 방법 중 가장 흔한 것입니다. 특히, 산소포화도는 손가락 끝에 probe (탐색자)를 붙이는 것만으로 매우 간편하게 SpO_2가 측정되고, 수치라는 눈에 보이는 형태로 평가할 수 있습니다. 이미 그 간편함은 일상 임상에서도 충분히 활용되고 있습니다.

산소화가 나쁜 환자를 마주했을 때, 여러분은 어떻게 대처하고 있나요? 많은 분들이 주저 없이 "산소를 투여한다"고 대답했을 것입니다. **산소화 장애에 대해 일반적으로는 우선 산소요법을 실시합니다.** 너무도 일반적인 내용이므로 여기에서는 주의할 점에 초점을 맞춰 생각해보도록 하겠습니다.

주의할 점 ① 산소포화도로 평가할 수 있는 것은 산소화 뿐이다.

또한, 100%를 넘으면 평가할 수 없다.

산소포화도는 임상에서도 매우 유용하지만, 단점이 있습니다. 그것은 최고 수치가 100%라는 것입니다. SpO_2가 100%를 넘으면 PaO_2가 150 mmHg이든, 600 mmHg이든, 항상 100%로 유지될 수 있습니다. 그다지 단점으로 느껴지지 않나요? 그렇다면 아래와 같은 환자가 있다고 가정해보겠습니다.

SpO_2는 변함없이 100%를 계속 나타내고 있지만, 속사정은 PaO_2가 600 mmHg에서 150 mmHg로 떨어지고 있습니다. 분명 뭔가 심상치 않은 이상(異常)이 일어나고 있는 것 같습니다. 이것을 보고 "SpO_2는 100%이며, 호흡상태는 문제없다"라고 해서는 안 됩니다.

또한, 지나치게 낮은 SpO_2는 신뢰도가 낮은 것으로 알려져 있습니다. 때문에 SpO_2가 90% 중반에서 오르락내리락하면 좋아지든 나빠지든 신속하게 알아차릴 수 있도록 관리하는 것이 중요합니다.

주의할 점 ② 산소화 장애에는 산소 투여가 효과적이다.

　　　　　단, 원인은 결코 제거되지 않는다.

흔히 교과서에는 저산소 혈증의 원인으로 **고지대(高地), 확산장애, 션트 (shunt), 환기관류 불균형, 폐포 저환기**를 들고 있습니다. 그림에 저산소혈증을 초래하는 각 병리적 상태의 폐포와 혈류 관계를 나타냈습니다.

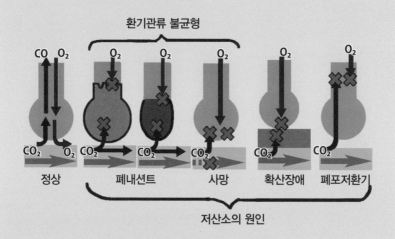

고지대에서 산소가 부족한 상황이라는 것은 많은 사람들에게 그다지 연관이 없는 일이라고 생각하지만, 예를 들어 에베레스트에 오르거나 했을 경우에는 산소분압이 낮기 때문에 저산소 혈증을 일으키게 됩니다. 이 경우, 산소를 투여해 주면 산소분압이 상승하여 저산소혈증은 교정될 수 있습니다.

확산 장애는 폐섬유증이 대표적인 질환입니다. 폐섬유증이란, 폐 간질에 섬유화가 일어나는 것입니다. 섬유화로 인해 폐포와 가스교환을 수행하는 혈관 사이에 벽이 생기게 되고, 그 때문에 산소 흡수가 어려워집니다. 이 경우, 산소를 투여하면 개개의 폐포에서 흡수할 수 있는 산소분압이 상승하여 저산소혈증은 개선될 것으로 예상됩니다.

션트란 정맥혈의 일부가 그대로 동맥혈로 흘러가는 것을 가리킵니다. 순환기 분야에서는 '우좌 션트', '좌우 션트'라는 말을 사용하기도 합니다. 알기 쉬운 예로, 팔로 4징후(Fallot's tetralogy) 등의 선천성 심장질환이나 폐동정맥 기형 등에서 혈액의 일부가 정맥에서 폐포를 통과하지 않고(가스교환 없이) 동맥으로 흘러가는 경우입니다. 산소요법으로 동맥혈을 아무리 산소화했다고 하더라도 체순환에서 돌아온 정맥혈이 그대로 유입되어 버리므로 산소화는 현저히 저하됩니다. 션트를 자세히 설명하려면 까다로운 계산식이 필요하기 때문에, **션트에 대해서 기억해두었으면 하는 점은 션트는 가스교환되지 않은 정맥혈이 동맥혈로 유입되는 것, 유입되는 정맥혈의 양이 많기 때문에 아무리 산소를 투여해도 산소화는 거의 개선되지 않는다는 것입니다.**

이어서, 환기관류 불균형에 대해 설명하겠습니다.

환기관류 불균형은 폐포가 찌부러지거나, 분비물이나 수분으로 가득 차서 기능을 못하게 된 상태입니다. 이렇게 손상된 폐포는 가스교환을 하지 못하므로 저산소혈증을 유발하게 됩니다. 여기에 산소를 투여하면 어떻게 될까요? 이런 상태는 션트에 비해 장애가 부분적이며, 손상된 폐포에서는 산소를 잘 흡수하지 못하지만, 주위에는 기능하고 있는 폐포가 있습니다. 그래서 주위의 건강한 폐포에서 더 많은 산소를 섭취함으로써 산소화를 개선시킬 수 있습니다.

'임상에서 가장 많은 저산소혈증의 원인은 환기관류 불균형이다'라는 문구가 다소 표현의 차이는 있더라도, 거의 모든 교과서에 쓰여져 있습니다. 이것은 임상에서 매우 중요한 문구지만, 이대로라면 어떤 것이든 임상에서 일하는 의료진에게는 와닿지 않습니다.

교과서의 내용이나 전문가의 발언은 까다로워서 이해하기가 어려운 것입니다. 여기에서는, 다소 과언일수도 있지만 한 걸음 더 나아가 임상에 도움이 되는 문구로 바꿔보기로 하겠습니다. '임상에서 가장 많은 저산소혈증의 원인은 환기관류 불균형이며, 그림과 같이 폐포가 분비물이나 수분으로 차 있는 상태, 혹은 폐포가 허탈된 상태'입니다.

즉, 임상에서 저산소혈증을 만났다면, 폐포가 분비물이나 수분으로 채워진 패턴이나 폐포가 찌부러진 패턴일 가능성이 높고, 이 두 가지 상태를 간파하라는 뜻이 됩니다. 어떻습니까? 바꿔 말하면, 중요한 문구였다는 것을 알 수 있겠죠?

주의할 점 ③ 환기 장애에 대하여 산소 투여는 효과가 없다.

환기 장애는 폐포 내 공기의 교환이 충분히 이루어지지 않아 발생한 이상입니다. 이 경우, 초기에는 CO_2가 증가하고, 최종적으로는(너무 환기되지 않으면) O_2가 감소됩니다. 요컨대 환기가 많이 나쁜 탓에 산소화가 장애를 받는 이상 상태를 폐포 저환기라고 합니다(→ p. 31 column 'A–aDO_2란 무엇인가?'도 참조). 환기 장애는 환기가 충분히 이루어지지 않아서 폐포 내 공기를 교환할 수 없는 상태이기 때문에 산소를 투여했다해도 폐포에 도달하는 비율이 낮아서 효과는 거의 기대할 수 없습니다. 또한 근본 해결이 아니므로, 바람직한 대처가 아닙니다.

전문의 여기서는 호흡의 중요한 요소인 '산소화'에 대해 생각해 봅시다. 이 '산소화'와 다음 세션 3에서 다룰 '환기'를 각각 나누어 생각하는 것이 중요해요. 그런데 두 분, 호흡이란 무엇이죠? 간호사님, 유치원생이나 초등학교 저학년 조카들이 "이모, 호흡이 뭐야?"라고 묻는다면, 뭐라고 대답하시나요?

간호사 "호흡이란 숨을 들이마시고, 내쉬는 것이야"라고 대답해요.

전문의 그럼, 좀 더 자라서, 가령 초등학교 고학년이나 중학생 때라면 어떻게 대답할까요?

앞의 대답이라면 의료인로서의 위엄이 부족한 코멘트인데.

간호사 "호흡이란 숨을 들이마시고 내쉬는 것에 따라 공기에서 산소를 흡수하고 이산화탄소를 배출하는 것이야"라고 대답합니다!

전문의 그렇습니다. 호흡이란 산소를 흡수하고 이산화탄소를 배출하는 것, 이것이 중요한 역할이죠. 따라서 호흡을 생각할 때는 '산소화'와 '환기'를 각각 의식적으로 생각하는 것이 중요합니다. 자, 수련의 선생, 생물을 배우고 있는 고등학생 후배에게 의사로서의 위엄을 유지하며 대답해 봅시다. "선배님, 요즘 저 고민이 있어요. 도대체, 호흡이란 무엇이에요?"

수련의 "왔다 갔다, 나왔다 들어갔다, 인생 그 자체!"

간호사 ……멋있는 척하지만, 재미없어요.

전문의 뭐랄까, 깊이 있는 코멘트 같긴 한데, 그냥 넘어갈게요. 호흡을 의학적으로 좀 더 파고 들어가 볼까요? 산소화와 환기, 이 두 가지를 합해서 가스교환이라고 합니다. 호흡의 중요한 목적이죠. 그리고 호흡이란 실은, 두 종류가 있다는 것을 알고 있을까요?

간호사 두 종류의 호흡이요?

전문의 네. 신체가 외부로부터 산소를 흡수하여 이산화탄소를 배출하는 것과……

수련의 알았다! 내호흡과 외호흡이군요.

전문의 맞아요.

간호사 신체가 외부에서 산소를 흡수하여 이산화탄소를 배출하는 것이 외호흡이고, 세포 수준으로 진행되는 호흡이 내호흡이었죠.

전문의 말씀대로예요. 그렇다면 호흡에는 내호흡과 외호흡이 있지만, 인공호흡으로 보조하고 있는 것은 어느 부분일까요?

간호사 내호흡……은 일체 보조하고 있지 않아요. 외호흡이라면 인공호흡기 등으로 보조할 수 있습니다!

전문의 맞아요. 인공호흡은 호흡의 일부를 보조하는 것에 불과하다는 것을 기억해 두세요. 화제를 산소화로 돌릴게요. 흔히 병동에서 "○○병실의 ○○님 호흡은 어때요?"라고 물으면 "산소포화도 97%로, 호흡은 안정적입니다" 등의 대답이 돌아오죠.

수련의 일상적인 방식이죠.

간호사 확실히 여기까지 돌이켜보면 호흡 중 외호흡, 게다가 산소화에 대해서만 언급되고 있다는 것이군요.

전문의 네, 맞아요. 더욱이 산소화에 관해서도 충분하지 않고. 산소포화도 97% 자체는 정상 수치지만, room air (실내 공기)인 경우도 있고, 인공호흡 중으로 100% 산소농도인 경우도 있어요.

수련의 확실히 큰 차이군요.

전문의 호흡을 생각할 때는 산소화와 환기를 의식하며 생각하고, 산소포화도나 PaO_2는 반드시 산소 투여 상태를 맞춰 전달하는 것이 중요하다고 할까요.

간호사 반대로, 전달할 때는 산소 투여 상태만 보내거나 합니다…….

전문의 실은, 그쪽이 아직 도움이 될지도 몰라요(^^). 왜냐하면, 산소포화도는 대략 90% 후반에서 관리될 것으로 예상되니까요. 그런데 수련의 선생, 산소 투여량과 산소농도 관계를 알고 있나요?

수련의 room air로 20.9%, 비강 캐뉼라 1 L에서 24%였죠. 비강 캐뉼라는 거기에서 1 L 늘어날 때마다 4% 증가한 것 같은 기억이 있어요.

표 1 ● 산소 투여량, 흡입산소농도

비강 캐뉼라			산소 마스크			부분 재호흡 산소 마스크		
산소(L/min)		FiO$_2$	산소(L/min)		FiO$_2$	산소(L/min)		FiO$_2$
(1)		(0.21)	5~6	→	0.4	6	→	0.6
1	→	0.24	6~7	→	0.5	7	→	0.7
2	→	0.28	7~8	→	0.6	8	→	0.8
3	→	0.32				9	→	0.8 이상
4	→	0.36				10	→	0.8 이상

벤츄리 마스크에서는 어댑터에 쓰여 있는 산소 유량으로 FiO$_2$가 정해진다.

전문의 말한대로입니다. 표 1은 산소 투여량과 산소농도를 일람표로 만든 것입니다. 실제로는 환자의 호흡상태에 따라 약간의 변동이 있지만, 임상에서는 이 표에 기초하여 생각해도 좋아요.

간호사 이 표에 따르면 비강 캐뉼라를 1 L에서 4 L로 늘려도 농도는 그다지 늘어나는 것이 아니네요.

수련의 정말이네요. 산소량은 4배가 되었는데, 농도는 1.5배 밖에 되지 않는군요.

간호사 앞으로는 산소는 양이 아니고 농도로 표현하는 쪽이 좋다는 의미인가요?

전문의 호흡을 생각할 때는 그 편이 좋을지도 모르지만, 임상에서 혼자만 농도로 표현하는 것도 이상하지요. 그래서 일상적으로는 양으로 표현하는 것도 어쩔 수 없다고 생각하지만, 자기가 사용하고 있는 산소량이 어느 정도의 농도인지는 제대로 알아두는 쪽이 좋겠지요.

수련의 선생님, 이 표가 있으면 혈액가스를 검사했을 때, PF 비를 계산할 수 있다는 건가요?

간호사 PF 비?

전문의 PF 비란 $PaO_2 \div FiO_2$으로, ARDS (급성호흡곤란증후군)의 진단 기준으로도 사용되고 있어요. PaO_2는 높은 쪽이 호흡상태가 좋다는 의미, FiO_2는 낮은 쪽이 좋죠. PF 비는 그 나눗셈이기 때문에, 숫자가 크면 클수록 산소화가 좋다는 지표입니다. 일반적으로 우리들은 400 이상입니다.

수련의 PF 비는 ALI (급성 폐손상)나 ARDS의 진단 기준으로도 사용되고 있는데, PF 비 300 이하는 급성 폐손상, 200 이하라면 ARDS로 분류되는 것으로 알고 있습니다. 그렇죠?

전문의 그렇고말고요. 이 표가 있으면 혈액가스를 검사했을 때 PF 비를 추정할 수 있어요. PF 비가 PaO_2나 산소포화도에 비해 우수한 것은 산소농도의 요소가 반영되어 있다는 점이에요. PaO_2나 산소포화도는 반드시 산소 공급 상태를 같이 표현해야 하는 반면, PF 비는 단순히 그 값만으로 평가할 수 있거든요.

간호사 평소에는 산소포화도만 취급하고 있어서 그다지 익숙하지 않지만, 산소화의 좋은 지표라는 거군요.

수련의 산소포화도가 너무 흔하기는 해요.

전문의 두 사람, 그 산소포화도 말인데, 평소에 관리하는 목표 수치는 어느 정도죠?

간호사 병동이라면 대략 95~98%를 목표로 산소 투여가 처방됩니다.

수련의 네, 전자의무기록에 기본 처방으로 들어 있으니까요.

간호사 어머, 그런 이유예요?

수련의 그렇죠. 매일 바쁘니까요.

전문의 임상현장의 의료진에게 물어보면, 역시 산소포화도 90%대 후반은 유지해야 한다는 의견이 많아요. 하지만, 교과서라면 92~94%를 목표로 산소를 투여하자거나, 90%면 OK라고 쓰여 있는 것이 대부분이죠. 산소독성 문제도 있고, 불필요한 산소는 피하는 편이 좋아요.

간호사 산소도 독성이 있습니까?

수련의 활성산소라는 것이요?

전문의 산소에 대해서는 다양한 유해성이 지적되고 있지만, 그렇게까지 두드러진 산소독성은 임상에서 잘 볼 수 없다는 것이 솔직한 것이겠지요.

간호사 산소에 독성이 있다고는 해도 산소포화도가 낮으면 산소는 사용해도 괜찮겠죠?

전문의 물론입니다. 제대로 산소포화도는 유지해야죠. 산소요법은 대증요법이므로, 반드시 저산소의 원인을 평가하여 대처해 줄 필요가 있어요. 그리고 산소요법의 중요한 합병증으로서의 CO_2 narcosis (CO_2 혼수)를 기억해야 해요.

간호사 본 적 있습니다. 구급대원이 COPD 환자에게 부분 재호흡 산소 마스크 (facial mask with reservoir bag)로 고농도 산소를 투여해서 응급의학과 선생님에게 혼났었어요.

수련의 자주 있어요. COPD 환자에게 고농도 산소를 투여하면 안 돼요!

전문의 그런 오해를 조심해야 합니다.

수련의 정말요? 충격이에요!

간호사 그러면 고농도 산소를 사용해도 되나요?

전문의 필요하면 사용해도 됩니다. 필요하다면 말이죠. CO_2 narcosis가 왜 일어나는지 생각해 보자고요. COPD 환자의 병리적 상태가 어떤 것인지 알고 있나요?

수련의 II형 호흡부전입니다.

간호사 II형 호흡부전이기 때문에 평상 시에 CO_2가 쌓여 있어요.

전문의 맞아요. 건강한 사람에게 CO_2가 쌓였다면, CO_2에 의해 호흡중추가 자극되어 호흡에 드라이브(추진력)가 걸립니다.

수련의 호흡이 자극받아 환기가 증가되기 때문에 CO_2는 감소된다는 것이군요.

전문의 그런데 만성 II형 호흡부전이 있다면, 평소부터 높은 CO_2 자극으로 호흡중추가 계속 자극되고 있기 때문에 호흡중추가 CO_2에는 반응하지 않게 됩니다. 그럼 이런 COPD 환자는 어떤 자극으로 호흡에 드라이브가 걸릴까요?

간호사 O_2인가요?

전문의 맞습니다. 만성 II형 호흡부전의 환자의 호흡 드라이브는 CO_2가 아니라, O_2로 자극됩니다. COPD 환자가 폐렴 등으로 만성 호흡부전이 급성으로 악화된 경우를 가정해 봅시다. 이 환자는 CO_2가 더욱 쌓였다 하더라도, 호흡 드라이브는……

간호사 자극받지 않는다.

전문의 그렇죠. 자, 만약 이 환자의 O_2가 감소되면……

간호사 호흡에 드라이브가 걸려요.

전문의 그렇죠. 급성 악화 시에는 어떻게든 벗어나도록 노력하는 셈인데, 좋아지라고 산소를 잔뜩 투여해서 O_2를 충분히 채워 버리면……

간호사 호흡 드라이브가 사라져 버린다……?

전문의 라는 것이죠. O_2가 투여되어 낮은 O_2에 의한 자극이 없어지면 호흡자극이 약해집니다. 그러면, 호흡 드라이브가 약해져서 환기는 저하되고 CO_2가 쌓이게 됩니다. 평소부터 좋지 않은 호흡이 폐렴 등의 이유로 인해 더욱 악화되어서 호흡 드라이브가 약해집니다.

수련의 CO_2 집합소가 되는군요.

전문의 그렇죠? $PaCO_2$는 70 mmHg를 초과하면 의식장애를 초래한다고 해요. 가뜩이나 호흡이 약해진 데다가 추가적으로 의식장애가 더해진다는 것입니다.

수련의 과연, 이것이 CO_2 narcosis라는 것이군요. narcosis란 혼수나 의식장애라는 의미고요.

간호사 잘 알겠습니다. 하지만 CO_2 narcosis 위험이 있는데, 왜 필요하다면 고농도 산소를 투여해도 될까요?

전문의 CO_2 narcosis는 높은 PaO_2 자극에 의해 호흡억제가 걸리는 것이 문제예요. 지나치게 높은 PaO_2를 피하면서 산소를 투여하려면 어떻게 하는 것이 좋을까요?

간호사 산소포화도를 보면서 너무 높아지지 않도록 산소를 조절하면 된다는 건가요?

전문의 말 그대로입니다. 산소포화도를 보면서 산소를 세심하게 조절하고, 최종적으로 고농도 산소가 되는 것은 전혀 문제가 없습니다. 그리고 정말로 비상사태라면, CO_2 narcosis가 될 가능성이 높아도 O_2를 투여하면 됩니다. 수련의 선생, CO_2 narcosis가 되어 호흡억제가 심한 환자에 대한 관리는 어떻게 하면 좋을 것 같아요?

수련의 인공호흡을 하면 좋을 것 같은데요? 의식장애가 있더라도 인공호흡을 해주면 호흡이 멈춰도 괜찮을 것 같아요.

전문의 그렇죠. CO_2 narcosis 치료는 CO_2를 낮추는 것이에요. 적절히 인공호흡만 하면 CO_2 narcosis로 환자를 잃는 일은 없을 겁니다.

간호사 그러면, COPD 환자든 아니든 산소포화도를 보면서 원칙대로 산소를 투여하면 위험하지는 않다는 것이군요.

session point

● 산소화는 PaO_2 혹은 산소포화도(SpO_2)로 평가하지만, 반드시 산소 투여 상태나 산소농도를 맞춰서 표현합니다.

● 불필요한 산소 투여는 피해야 합니다. 산소를 투여한다면 저산소혈증의 원인을 평가합니다.

● 산소요법은 환기 장애에 효과가 없고, CO_2 narcosis를 일으킬 수 있습니다.

PaO$_2$인가 산소포화도인가, 그것이 문제로다　　**column**

　산소화에 관한 평가 항목 중, 임상에서 가장 많이 사용되는 것은 산소포화도와 PaO$_2$입니다. 그럼 여기에서 산소포화도와 PaO$_2$, 굳이 말하자면 어떤 것이 더 중요할까요? 물론 산소포화도와 PaO$_2$는 산소해리곡선처럼 서로 상관관계가 있으므로 본래는 어느 쪽이 더 중요하다고 할 수는 없지만, 여기에서는 극단적으로 생각해 봅시다. 손가락 끝으로 가볍게 측정할 수 있는 산소포화도(SpO$_2$)와 일부러 환자를 아프게 하여 검사하는 PaO$_2$, 아마 대다수의 의료진은 PaO$_2$가 중요하다고 생각할 것입니다. 여기서 CaO$_2$(동맥혈 산소함유량)라는 지표를 살펴보겠습니다. CaO$_2$는 동맥혈에 포함된 산소의 총량입니다.

$$CaO_2 = 1.34 \times Hb \times SpO_2 + 0.0031 \times PaO_2$$

　시험에 반드시 나온다고 해도 좋을 정도로 출제되는 계산식입니다. 이 식 자체를 외울 필요는 없지만, 이 식이 자주 출제되는 데는 이유가 있습니다.

　'CaO$_2$'는 혈액 중에 포함된 산소의 총량, 그리고 '1.34×Hb×SpO$_2$'는 적혈구 헤모글로빈에 달라붙어 운반되는 산소의 양, '0.0031×PaO$_2$'는 혈액의 액체 부분에 녹아 있는 산소의 양을 나타냅니다. 즉, 혈액 중의 산소는 헤모글로빈이 운반하는 분량과 혈액에 녹아 있는 분량의 합산이라는 뜻입니다. 여기서 주의해야 할 것은 각각의 산소의 양입니다. 보통 사람의 Hb를 14 g/dL, SpO$_2$를 0.98(98%), PaO$_2$를 약간 넉넉하게 어림잡아 100 mmHg으로 계산해 봅시다.

$$CaO_2 = 1.34 \times 14 \times 0.98 + 0.0031 \times 100$$
$$= 18.4 + 0.31$$

　분명 Hb에 붙어 있는 전자 쪽이 더 많은 것을 알 수 있습니다. 시험 삼아 많은 산소를 투여하여 PaO$_2$를 300 mmHg까지 올려 봅시다.

　물론, SpO$_2$는 100%입니다.

$$CaO_2 = 1.34 \times 14 \times 1.0 + 0.0031 \times 300$$
$$= 18.76 + 0.93$$

거의 변화가 없네요. 이처럼 여러분이 중시하는 PaO_2는 그 전에 0.0031이라는 계수가 붙어 버리기 때문에 비록 산소를 늘려 PaO_2를 올리더라도 산소의 총량은 거의 증가하지 않는 것입니다. 산소 공급 상태를 알고 있어서 산소포화도가 모니터링되고 있는 상황에서는 환자를 아프게 하면서까지 검사하는 PaO_2의 유용성은 낮다는 것을 기억해 둡니다.

A-aDO₂란 무엇인가?   column

A-aDO_2란 폐포내 산소분압(P_AO_2)과 동맥혈 산소분압(PaO_2)의 차이입니다. 흡입산소농도(FiO_2)와 혈액가스 결과를 알고 있는 상황에서 이론적으로 예상되는 폐포내 산소분압을 구하고, PaO_2는 실제로 검사를 시행하여 구합니다. 정상인도 생리적인 차이가 있지만, 병적인 상태에서는 이 차이가 커진다는 것입니다. 공식은 아래와 같습니다. 호흡관리 전문가를 목표로 하는 분은 계산할 수 있다면 큰 도움이 되겠지만, 그 이외의 분은 기억할 필요는 없습니다.

$$A\text{-}aDO_2 = P_AO_2 - PaO_2 = 713 \times FiO_2 - PaCO_2/0.8 - PaO_2$$
(대기압 760 mmHg, 수증기압 47 mmHg, 호흡상수(respiratory quotient) 0.8로 했을 경우)

A-aDO_2가 도움이 된다고 하면, 다음 두 가지 상황입니다.

• 환기관류 불균형 등에서의 션트율 파악
• 폐포 저환기의 감별

특히 임상적으로 의미 있는 것으로 폐포 저환기 감별을 파악해 두도록 합니다 (여유가 있는 분은). A-aDO$_2$란 폐포에서의 가스교환 능력을 나타냅니다(작을수록 가스교환 능력이 좋다).

ARDS와 같은 호흡부전에서는 당연히 가스교환이 악화되기 때문에 A-aDO$_2$는 증가합니다. 한편, 폐포 저환기는 폐에서의 가스교환 능력은 정상임에도 불구하고, 호흡조절이 나쁘고 혈액가스가 나빠지는 병리적 상태입니다.

예를 들어 진정제에 의한 호흡억제 등의 경우, 폐에서의 가스교환 능력은 정상이지만 폐포에 신선한 공기가 들어오지 않아 산소화 · 환기 모두 악화됩니다. PaO$_2$는 낮고 PaCO$_2$는 높지만, A-aDO$_2$는 정상이라는 점이 특징입니다. 임상에서 다소나마 의미 있는 A-aDO$_2$의 역할은 이 폐포 저환기의 감별입니다.

예제:

① pH 7.25, PaCO$_2$ 68 mmHg, PaO$_2$ 55 mmHg (room air)

② pH 7.25, PaCO$_2$ 68 mmHg, PaO$_2$ 55 mmHg (비강 캐뉼라 2 L/min)

두 사람 모두 동일한 혈액가스 결과이며, 산소 공급 상태가 다를 뿐 언뜻 보기에는 변화 없는 혈액가스처럼 보입니다. 이 두 사람의 A-aDO$_2$를 계산해 볼까요? ①은 9.73, ②는 59.64입니다. 두 사람 모두 PaO$_2$는 낮고 PaCO$_2$는 높다는 결과지만, ①은 A-aDO$_2$가 낮고 폐포에서의 가스교환 능력은 정상입니다. 즉, 조절 문제인 폐포 저환기가 주라고 판단할 수 있는 것입니다.

어때요? 대단하죠?

하지만, A-aDO$_2$를 계산할 수 있어 다행인 상황을 만나는 경우란 거의 없겠죠.

환기를 평가하자

혈액가스 결과를 보고, "꺅! 선생님, 나빠지고 있어요!"라는 광경을 간혹 보게 됩니다. 그럴 때는 우선 침착하게 산소화를 평가합니다. '맞아, 분명 이 책 세션 2에 쓰여 있었는데…….' '환기는 세션 3이었던가…….'와 같이 말이죠. 오해가 많은 산소화에 대해 앞서 설명했는데, 여기에서는 좀 더 오해가 많은 환기에 대해 생각해 보기로 하겠습니다.

단! 환기관리는 지극히 고도의 지식과 경험을 필요로 하며, 혈액가스뿐만 아니라 질환이나 각 환자별 경과에 따른 파악이 필수입니다. 이대로 이 책을 읽어 주시면, 산염기 평형을 이용한 평가가 가능해지므로 현시점에서의 환기 평가는 이상 수치 여부와는 별도로 $PaCO_2$를 관리하기 위해(올렸다 내렸다 한다) 어떻게 해야 할지를 중심으로 이야기하겠습니다.

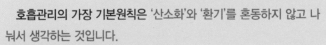

전문의 리키마루의 혈액가스 이야기 ③

호흡관리의 가장 기본원칙은 '산소화'와 '환기'를 혼동하지 않고 나눠서 생각하는 것입니다.

산소화는 'FiO_2'와 'PEEP'로 조절합니다(PEEP에 대해서는 전작 『세상에서 가장 유쾌한 인공호흡관리』 참조).

환기는 '호흡수'와 '일회호흡량'으로 조절합니다.

결론: $PaCO_2$는 호흡수와 일회호흡량으로 조절한다.

　　$PaCO_2$는 분당환기량(엄밀하게는 사강을 제외한 폐포 분당환기량)과 역상관관계를 갖는 것으로 알려져 있습니다. 분당환기량이란 호흡수(회/분)와 일회호흡량(L)을 곱한 것입니다. 따라서 $PaCO_2$를 낮추고 싶으면 환기를 늘리도록 호흡수나 일회호흡량을 늘리면 됩니다. 반대로 $PaCO_2$를 올리고 싶다면(CO_2를 좀 더 축적하고 싶다), 호흡수 혹은 일회호흡량을 줄인다는 뜻입니다.

　　지금은 $PaCO_2$가 이상 수치(비정상 수치)인가에 대한 단순한 판단과 $PaCO_2$를 조절하기 위한 방법에만 국한하고, '과연 $PaCO_2$를 내려야 할지, 올려야 할지, 이대로 지켜봐야 할지……' 등의 판단은 내리지 않도록 하십시오. CO_2 수치를 어떻게 해야 할지에 대해서는 다른 세션에서 자세히 생각해 보도록 하겠습니다.

간호사　음, 이 세션의 결론은 '환기($PaCO_2$)는 호흡수와 일회호흡량으로 조절한다'는 것이죠? 하지만 내용이 약간 부족한 느낌이에요.

전문의　결론은…… 그것으로 OK예요.

수련의　단지 그뿐이라면, 이 세션은 필요 없을 것 같은데…….

전문의　어허 이거 참, 이 세션을 부정하지 말아요. 왜냐하면, 산소화 세션이 있다면 다음 세션은 환기를 다루지 않을 수 없는 것이니까요. 나도 평소 세미나였다면 슬라이드 1~2세션은 가볍게 넘길 수 있는 부분이에요. 하지만 책으로 만들기 위해서는 더 많은 페이지수가 필요하다고 편집 담당 Y씨가 말했거든요…….

간호사　근데 선생님, 호흡수라는 것은 보통 환자가 마음대로 호흡하는 것이잖아요. 좀 더 빨리 숨을 들이마시자고 해도, 금방 그만둘 것 같은 생각이 드는데요.

수련의　맞아요! 크게 심호흡하자고 해도, 뒤돌아보면 그만두곤 하시죠.

호흡수를 좀 더 늘려주실 수 있을까요?

사용해 보시겠어요?

아무래도 무리야

런닝머신

줄넘기

전문의 말씀대로예요! 그래서 이 부분의 비중은 적어요. 환기($PaCO_2$)는 조절하려고 한다면 인공호흡기로 호흡수, 일회호흡량을 조절하면 되지만, 자발호흡의 경우에는 주로 평가에 의한 비정상 파악과 그 원인 제거로 끝나요.

그리고, $PaCO_2$는 이상 수치지만, 인체로서는 굳이 그 비정상 수치에 의지하여 전신의 균형을 유지하는 경우도 많아요. 상태를 지켜봐야 할 때도 있고, 인공호흡의 필요성을 판단해야 할 때도 있어요.

간호사 그럼, $PaCO_2$가 어느 정도쯤이면 인공호흡을 시작해야 하는 건가요?

전문의 정해진 값(수치)은 없어요. $PaCO_2$가 70 mmHg라는 비정상 수치더라도, 그대로 관찰하는 것이 정답일 경우도 있습니다. 음, $PaCO_2$가 70 mmHg를 초과하면 의식장애를 초래하기 때문에 그 이상의 수치일 때는 인공호흡을 검토해야 하겠죠.

수련의 그럼, 반대로 낮은 수치에서는 어떻습니까? 예를 들면, $PaCO_2$가 30 mmHg든지.

전문의 사실 이 책의 가장 중요한 포인트이기도 하지만, $PaCO_2$를 정상 수치로 조절해 버리면 상태가 악화되는 경우도 많아요. 지금은 자세한 사항은 몰라도 괜찮지만, 예를 들어, 쇼크 상태에 의한 대사성 산증일 때, 인체는 일부러 $PaCO_2$를 떨어뜨립니다. $PaCO_2$를 30 mmHg로 만들어 어떻게든 인체의 항상성을 유지하려고 해요. 이런 경우에 $PaCO_2$를 정상화하면, pH나 순환, 산소화를 유지할 수가 없어 생명 유지가 불가능해집니다....

수련의 이해는 했는데요, 왠지 무섭고 어렵군요…….

전문의 그 외에도, 예를 들면 두개내압이 상승 중인 환자는 생리적으로 과환기 상태가 되어 $PaCO_2$를 저하시킵니다.

수련의 아, 그건 알고 있어요. $PaCO_2$를 낮춰서 두개내압을 내린다는 말씀이죠?

전문의 맞습니다. 이 환자는 두개내압을 낮추기 위해 일부러 과환기하는 상태예요. 일부러 저하시키고 있는 이 $PaCO_2$에 대해 비정상 수치라고 판단하여 정상 수치로 돌려버리면……

수련의 두개내압이 상승하여……

간호사 꺅! 두 분, 무서운 말씀하지 마세요. 무서운 건 싫다구요. 이 책에서 무서운 얘기 금지입니다!

session point

● 환기($PaCO_2$)는 호흡수와 일회호흡량으로 조절할 수 있습니다.

● 다만, 목표로 삼아야 할 $PaCO_2$ 수치는 병리적 상태에 따라 완전히 다릅니다. 정상 수치를 목표로 하면 전신상태가 악화되는 경우도 많습니다.

"선생님, 나빠지고 있어요!"

column

이 책의 독자들은 혈액가스를 볼 때, 이런 말은 절대 하지 않도록 합시다(개인적으로, 안타까워집니다).

나빠진다……

그 말에는 뭔가 이상한(비정상적인) 일이 일어나고 있는 긴급사태라는, 암묵적인 뉘앙스가 잠재되어 있습니다. "일단 모두 모여~"라는 것을 전하고 싶은 것이라고 생각하지만, 그냥 생각할 수 있는 건 아무것도 없는, 평가도 할 수 없는 마법의 단어입니다.

산소 투여, 안면 마스크 5 L/min, PaO_2 60 mmHg, $PaCO_2$ 65 mmHg

어떤 간호사: 선생님! 혈액가스, 나빠지고 있습니다!!

어떤 의사: 오, 이거 큰일이네. O_2를 부분 재호흡 산소 마스크 8 L로 올려요!

어떤 의사의 대처 후, 혈액가스는 어떻게 되었을까요? 안면 마스크 5 L라면 FiO_2는 약 0.4, 부분 재호흡 산소 마스크, 8 L라면 FiO_2 0.8로 산소농도는 배가 되기 때문에, 단순 계산에 의해 PaO_2는 120 mmHg로 뛰어 오릅니다(폐포 저환기가 아니라고 합시다).

산소 투여, 부분 재호흡 산소 마스크 8 L/min, PaO_2 120 mmHg,
$PaCO_2$ 65 mmHg

어떤 의사: 회복됐다.

어떤 간호사: (불만스럽다)

대부분의 경우, 임상에서 이런 대처를 하면 호출을 한 간호사는 호전되었음에도 불구하고 이렇게 불만스러운 태도를 취합니다.

즉, 이래서는 안 된다는 것을 본능적으로 감지하고 있는 것입니다. 호출 단계에서 "나빠졌다!"라고 떠들지 말고, 우선 침착하게 평가해 봅시다.

산소 투여, 안면 마스크 5 L/min, PaO_2 60 mmHg, $PaCO_2$ 65 mmHg

FiO_2는 0.4이므로, 이 환자의 산소화는 PF 비로 약 150. 산소화 장애로서는 상당히 나쁩니다. 환기는 어떨까요?

$PaCO_2$는 65 mmHg로, "우와, 비정상 수치!"

하지만 잠깐 기다려요, pH과 HCO_3^-는 어떻게 되었을까요?

산소 투여, 안면 마스크 5 L/min, PaO_2 60 mmHg, $PaCO_2$ 65 mmHg, pH 7.20, HCO_3^- 5 mmol/L

3단계법(→p. 41~)으로 읽어 보면…… "호흡성 산증!"

이 환자의 혈액가스는 PF 비 150의 산소화 장애와 호흡성 산증에 의한 환기 장애(고이산화탄소혈증)가 있습니다. CO_2를 낮춰야 합니다. 전문의를 호출하면서 기관내삽관도 준비해야 하는 상황입니다.

동일한 PaO_2와 $PaCO_2$에서, 이런 사람의 경우는 어떨까요?

산소 투여, 안면 마스크 5 L/min, PaO_2 60 mmHg, $PaCO_2$ 65 mmHg, pH 7.50, HCO_3^- 35 mmol/L

3단계법으로 읽어 보면…… "대사성 알칼리증!"

이 환자의 혈액가스는 PF 비 150의 산소화 장애와 대사성 알칼리증으로 인한 환기 장애(고이산화탄소혈증)가 있습니다. 그러나 이것은 환자가 일부러 쌓고 있는 CO_2이기 때문에 서둘러 CO_2를 내릴 필요는 없습니다. '대사성 알칼리증의 원인을 조사해 보자!'라는 상황인 것입니다.

'나빠진다'에 대한 해석도 간단하지 않지만, 침착하게 대처한다면 문제 없습니다.

session 4 혈액가스(산염기 평형)를 읽어 보자

혈액가스 검사에는 '산소화', '환기', '산염기 평형'이라는 3가지 요소가 포함되어 있습니다.

산소화는 여러분이 평소 사용하고 있는 SpO_2로 편리하게 알 수 있습니다. 아울러 산소 공급 상태를 알고 있으면 FiO_2도 추측할 수 있다는 것은 말씀 드렸습니다. 물론, 혈액가스를 검사하면 보다 상세한 산소화 지표(PF 비 등)를 알 수 있지만, 일상적인 산소화 평가는 SpO_2로 충분합니다.

환기에 대해서는 혈액가스 검사를 통해 $PaCO_2$를 알 수 있습니다. 환기($PaCO_2$)는 인공호흡관리에서는 호흡수와 일회호흡량으로 조절할 수 있습니다. 비삽관 환자라 하더라도 호흡수는 활력징후로, 일회호흡량은 흉곽의 움직임으로 추측할 수 있습니다.

원래 $PaCO_2$는 자발호흡 환자에서는 이상을 인식했다 해도 쉽게 중재할 수 없으며, $PaCO_2$를 올려야 할지 내려야 할지 또는 상태를 지켜봐도 좋을지의 판단은 산염기 평형이나 병리적 상태, 경과, 과거 병력 등 다양한 요소가 관련된 어려운 문제입니다. 그에 대한 이야기는 나중에 언급하기로 하고, 여기에서는 혈액가스로 밖에 알 수 없는 산염기 평형에 대해 설명해 보고자 합니다. 혈액가스 결과를 ○○성 ○○증으로 분류하는, 이른바 혈액가스를 읽는다는 것입니다.

전문의 리키마루의 혈액가스 이야기 ➍

일부 특수한 경우를 제외하고, 산소화의 평가를 혈액가스에만 의존하는 것은 안 됩니다. 그러나, 왠지 많은 분들이 혈액가스 결과를 보면 산소화에 마음을 빼앗겨 버리는 경향이 있습니다. 때문에, 혈액가스 결과를

보면 우선 중요성이 낮은 산소화부터 평가를 하십시오. 이어서, 환기($PaCO_2$)를 평가합니다. 다만, 이 단계에서의 환기 평가는 $PaCO_2$가 이상(비정상적) 수치인지, 긴급한 중재가 필요한 패닉 수치인지의 여부(예를 들면, $PaCO_2$ 70 mmHg 이상으로 명백히 인공호흡관리가 필요 등)에 대한 판단에 국한합니다. 그리고 드디어 본론인 산염기 평형에 대한 평가로 넘어갑니다.

산염기 평형은 3단계를 거쳐 평가합니다(3단계법).

지금까지 혈액가스를 읽고 싶다는 소망으로, 다양한 공부를 시도한 분들도 계시리라 생각합니다만, 여기에서는 일단 모든 것을 잊고, 새로운 마음가짐으로 동심으로 돌아가 생각해 보십시오. 여기에서는 매우 단순하고 알기 쉬운, 누구나 이해할 수 있는 방법을 설명하고자 합니다. 약사, 고등학생…… 지금까지 많은 분들에게 이 내용을 전해드렸지만, 채 15분도 되기 전에 모든 분들이 이해할 수 있었습니다. 열정적이며 현명하신 여러분들은 아마 30분 정도면 혈액가스를 읽을 수 있게 될 것입니다(^^)!

단계 1: pH를 본다.

pH의 정상 수치는 7.4±0.05입니다. 여기에서는 간단하게, pH를 7.40으로 구분해 보겠습니다. pH가 **7.4 이하라면 산혈증(acidemia), 7.4 이상이라면 알칼리혈증(alkalemia)**이라고 합니다. 산혈증과 산증, 알칼리혈증과 알칼리증은 비슷하면서도 다른 용어지만, 지금은 구별할 수 없어도 OK입니다.

단계 2: $PaCO_2$를 본다.

단계 1에서 확인한 산혈증, 알칼리혈증이 **호흡성 이상으로 인한 것인지의 여부**를 $PaCO_2$를 보고 판단합니다. 혈액가스는 호흡성과 대사성 두 가지 밖에 없기 때문에, 호흡성이 아니면 자연스럽게 대사성으로 판단합니다. $PaCO_2$의 정상 수치는 40±5 mmHg이지만, 여기에서는 간편하게 40으로 하여 판단합시다.

여기에서 필요한 것은 이 4분할표입니다.

일반적으로 혈액가스(산염기 평형)를 읽을 수 있다는 것은 이 4분할을 실행할 수 있다는 것을 의미합니다. 이 표의 화살표를 일차성 변화라고 합니다.

	산증	알칼리증
대사성	HCO_3^- ↓↓	HCO_3^- ↑↑
호흡성	$PaCO_2$ ↑↑	$PaCO_2$ ↓↓

대사성이란 중탄산염(HCO_3^-)이 변동하는 것, 호흡성이란 $PaCO_2$가 변동하는 것입니다. 즉, 대사성 산증이란 HCO_3^-가 감소하여 비정상 상태가 되는 것, 호흡성 산증은 $PaCO_2$가 증가하여 비정상 상태가 되는 것을 의미합니다. 처음 혈액가스를 읽을 때는 이 4분할표를 쓰면서 읽으면 좋을 것입니다. 기억보다는 감각적으로 이해하는 것이 중요합니다.

이 표의 암기법에 대해서인데, 사람이 죽을 때 마지막은 반드시 산증이 됩니다. **호흡성 산증은 호흡성($PaCO_2$)의 죽음으로, 즉 호흡을 하지 않게 된다**고 기억합니다. 호흡을 하지 않게 되므로 $PaCO_2$는 올라갑니다. 나중에는 화살표가 모두 반대가 되기 때문에 표는 채워지게 됩니다.

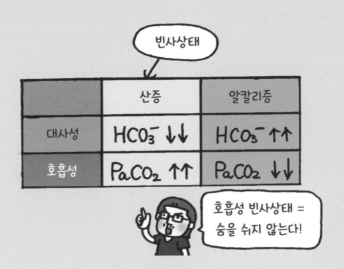

빈사상태

	산증	알칼리증
대사성	HCO_3^- ↓↓	HCO_3^- ↑↑
호흡성	$PaCO_2$ ↑↑	$PaCO_2$ ↓↓

호흡성 빈사상태 = 숨을 쉬지 않는다!

단계 1에서 산혈증과 알칼리혈증으로 나눈 후, 단계 2에서는 그 변화가 호흡성인지 여부를 판단합니다. 산혈증이라면 산증 열(列)을, 알칼리혈증이라면 알칼리증 열(列)을 보면서, $PaCO_2$가 화살표처럼 변하고 있는지를 판단합니다. 화살표대로 변하면 호흡성, 그렇지 않으면 대사성이라고 합니다.

이렇게 단계 2까지로 ○○성 ○○증으로 판단할 수 있었습니다. 많은 임상 상황에서는 이 단계 2까지의 판단으로 대부분 문제가 없습니다. '단계 1에서 알칼리혈증, 단계 2에서 $PaCO_2$가 감소되지 않았으므로 호흡성이 아닌, 즉 대사성 알칼리증!' 등으로 판단을 해갑니다.

단계 3: HCO_3^-를 살펴보고, 여기까지의 판단이 타당한지 확인한다.

마지막 단계 3은 단계 2에서 발견된 문제에 모순점이 없는지의 여부와, 중탄산염(HCO_3^-)을 살펴보고 재확인합니다. **여기에 모순이 있다면, 약간 특수한 혼합성 병리적 상태임을 의미합니다.** HCO_3^-의 변화는 24 mmol/L로 끊어 평가합니다. 여기에서는 보상도 추가한, 완성판인 4분할표를 이용합니다. 보상에 대해서는 다음 세션 5에서 자세히 설명하겠습니다.

	산증	알칼리증
대사성	HCO_3^- ↓↓ ($PaCO_2$ ↓)	HCO_3^- ↑↑ ($PaCO_2$ ↑)
호흡성	$PaCO_2$ ↑↑ (HCO_3^- ↑)	$PaCO_2$ ↓↓ (HCO_3^- ↓)

어떻습니까? 이 정도라면 산염기 평형을 읽을 수 있을 것 같지 않습니까?

혈액가스 분류는 누구나 할 수 있는 것입니다. 고등학생이라도 가능할 것입니다.

혈액가스에서 중요한 것은 여기서 **어떻게 치료에 활용할 것인지, 원인을 찾아 제거할 수 있는지**입니다. 이 3단계법이 대단한 점은 보상이나 완충과 같은

43

어려운 개념을 모르더라도 분류할 수 있다는 점입니다. 음이온 차이(AG)나 염기 과잉(BE), 보상 한계도 전혀 필요하지 않습니다. 중요한 것은 단계 1, 단계 2, 단계 3의 순서대로 진행하는 것입니다. 세션 6(→ p. 60~)에서 실제로 혈액가스를 사용해 읽어 보겠습니다.

간호사 음……. 잘 몰랐던 혈액가스를 겨우 이런 방법으로 읽을 수 있다니 믿을 수 없군요. 이렇게 간단한데 왜 아무도 가르쳐 주지 않았을까요? 확실히 선생님 말씀처럼 이정도라면 누구나 읽을 수 있을 것 같아요. 초등학생인 제 조카도 할 수 있을 것 같아요.

수련의 정말요. 아마 혈액가스를 읽을 수 없는 의사들도 제법 많을 것으로 생각됩니다.

간호사 그쵸? 근데 수련의 선생님은 저번에 혈액가스 읽을 수 있었잖아요?

수련의 네, 그랬죠. 저 같은 경우는요, 혈액가스에 대해 물어오면 산증이라고 대답하기로 정해놓았어요. 지난번 그 환자는 호흡 쪽에 가까운 것 같아서 호흡성 산증이라고 대답했어요. 임상실습 때, 대학 선배가 "일단 대답해 둬, 산증"이라고 가르쳐 주었으니까. 중증인 사람은 모두 산증이라고.

간호사 선생님, 수련의 중에서는 꽤 실력 있는 분 같았는데, 뭔가 계산적인 분이셨군요……. 실망이에요.

전문의 수련의 선생, 아는 척하더니 실은 적당히 대답했군요……. 하지만, 중증인 듯한 사람에게 산증이라고 한 것은 의외로 핵심을 찌른 거예요. 기도나 호흡 이상 때문에 중증인 사람은 호흡성 산증일 경우가 많고, 순환기 이상의 중증 쇼크 환자는 대사성 산증이 됩니다.

수련의 신부전 말기도 대사성 산증이죠.

간호사 혈액가스를 검사해야 할 사람은 거의 중증인 경우가 많기 때문이라는 것이군요.

수련의 어라? 저 궁금한 것이 있는데요, 이 방법으로 혈액가스를 읽으면 혈액가스 세미나 등에서 배운 보상이나 완충, 보상 한계는 필요 없다는 건가요? 전혀 나오지 않아요.

간호사 정말요! 선생님들이 흔히 base excess, base excess (염기 과잉)라고 하는데 그것조차도 필요 없는 건가요?

전문의 그렇죠. 하나같이 중요한 생각이지만, 간단하게 누구나 알 수 있도록 임상에서의 능숙한 활용을 목적으로 했을 경우에는 이 3단계법이 최고라고 생각해요. 그런 것은 우선 이 방법으로 혈액가스에 익숙해진 후, 다음 단계로 배워야 할 내용들입니다.

간호사 너무 간단한 방법인데, 뭔가 문제는 없습니까?

수련의 전국 혈액가스 세미나 관련 단체에서 영업 방해로 고소라도 당하시면?

전문의 ……(^^;;) 미안, 눈치 없이 굴었군요.

간호사 상관없어요. 수련의 선생님은 신경 쓰지 마세요.

전문의 3단계법이 안고 있는 잠재적인 문제점은 두 가지가 있어요. 첫 번째, 3단계법에서는 pH 7.40, $PaCO_2$ 40 mmHg, HCO_3^- 24 mmol/L라는 정상 수치 중간 이외의 혈액가스를 모두 어느 쪽인가의 병리적 상태로 나눠 버려요.

수련의 그렇게 나쁘지 않은 것 같은데······.

전문의 틀린 말은 아니에요. 이후의 주제로도 이어지겠지만, 비정상(일지 모른다)으로 인식하고, 원인을 검색하여 대처를 고민하는 것이 목적이니까.

간호사 모든 검사 수치가 정상 수치일 경우에는 3단계법으로 읽지 않아도 괜찮아요?

전문의 네, 그렇죠.

간호사 또 다른 문제점은 무엇인가요?

수련의 전국 혈액가스 세미나 관련 단체의 눈총?

전문의 (화제 무시). 복잡한 혼합형태 평가의 어려움이랄까? 예를 들어 만성 대사성 알칼리증 환자가 쇼크로 인해 급성 대사성 산증이 되고, 더 악화되어 호흡성 산증이 혼합되었다······ 등의 상황도 드물게 있어요.

수련의 그건 정말 복잡한데······.

간호사 그런 것을 꼭 구분해야 하나요?

전문의 아니요. 필요 없다고 생각해요. 세상에는 이런 혼합 형태를 구분할 수 있도록 다양한 공식이 나오고 있어요. 보상 한계 예측치나, 음이온 차이, 델타 차이, 보정 중탄산······, 혈액가스 전문가가 되면 혈액가스를 본 것만으로 살리실산 중독이나 패혈성 쇼크를 구분할 수 있으니까요.

수련의 굉장하네요. 이미 신의 영역이군요.

간호사 저는 그 정도로 대단한 것까지는 바라지 않습니다만······.

수련의 뭐, 중독은 현재 병력으로 알 수 있는 경우도 많고, 패혈성 쇼크도 병력이나 신체검진, 검사 등으로 알 수 있습니다.

전문의 맞습니다! 우리 의료진들은 많은 정보를 통해 총괄적으로 판단을 내릴 수 있죠. 혈액가스도 그 중 하나예요. 임상에서 잘 활용하고, 특히 혈액가스 초보자는 혈액가스 결과를 통해 주 병리적 상태를 파악할 것, 그리고 원인을 평가할 것, 환기 보조를 중심으로 한 우선적인 대처를 취할 것, 이게 전부입니다. 그래서 3단계법이라고 하죠. 불필요한 것을 삭제하고, 간단해서 누구나 능숙하게 사용할 수 있는 방법이 필요했던 겁니다.

간호사 과연. 특별히 모든 사람들이 신의 영역을 목표로 삼을 필요는 없다는 거죠.

수련의 저는 목표를 높여서 언젠가는 신의 영역으로……

● 혈액가스를 보면 우선 산소화, 이어서 환기를 평가합니다. 환기 평가는 $PaCO_2$
  수치가 높다 또는 낮다의 판단까지만 해야 합니다. 중재로 진행하지 않습니다.
● 혈액가스의 산염기 평형은 3단계법으로 읽습니다. 무심히 3단계를 진행하다보
  면, 자동으로 혈액가스를 분류할 수 있습니다.
● 3단계(HCO_3^-의 확인)는 혼합성 산염기 평형을 찾아내기 위한 것입니다.

젖산 수치

젖산 수치는 오랜 세월에 걸쳐 임상에서 꾸준히 사용되고 있는 검사 항목입니다. 간편하게 젖산 수치를 보고 싶어서 혈액가스를 검사하는 시설도 많을 것입니다. 산염기 평형과 함께 평가함으로써 보다 유용하기 때문에 많은 혈액가스 검사기로 측정이 가능합니다. 오래전부터 연구가 진행되고 있는 조직 저관류, 저산소 지표는 최근 들어 중증 패혈증·패혈성 쇼크 영역에서 다시 주목을 받고 있습니다. Marino 선생님의 『ICU Book』(일본어판은 메디컬·사이언스·인터내셔널사 간행)에 따르면, 젖산 수치가 2 mmol/L를 초과하면 치명적인 결과를 초래할 가능성이 60%, 4 mmol/L를 초과하면 80%, 10 mmol/L를 초과하면 대부분의 환자는 사망한다고 적혀 있습니다(오래된 연구를 바탕으로 하였으므로, 현재는 결과가 조금 더 양호할 것으로 생각합니다).

젖산은 쇼크·저혈압 등의 저관류나, 저산소증, 경련 발작 등의 혐기성 대사의 결과로 생성됩니다. 기타 원인으로는 약물(아세트아미노펜, 프로포폴 등)이나 간부전 등이 있으며, 천식 발작(호흡근에서의 젖산 생성으로 인한 것이라 생각된다)에서도 생성됩니다. 경련 발작의 경우 고빈도로 높은 수치를 나타내지만, 적절한 치료로 젖산 수치가 감소되면 많은 경우에서 양호한 결과를 얻을 수 있습니다. 프로포폴에 의한 고젖산 혈증은 프로포폴 주입 증후군(PRIS)으로 알려져 있으며, 산소의 이용 장애 결과로 젖산 수치가 높아져 예후가 불량한 것으로 알려져 있습니다.

젖산 수치가 높을 때는 뭔가 중대한 이벤트가 일어나고 있다(일어나고 있었다)고 인지하고 신속하게 대처하도록 합니다.

앞의 세션 4에서는 3단계 방법을 이용해서 혈액가스를 읽을 수 (=4분할표의 ○○성 ○○증으로 분류할 수 있다) 있게 되었습니다. 보상이나 염기 과잉, 음이온 차이 등 난해할 만한 것은 전혀 사용하지 않았다는 것을 눈치채셨나요?

이 세션에서 다루는 '보상'은 알지 못해도 분류는 할 수 있지만, 알아두면 더 많은 혈액가스와 가까워지는 그런 존재입니다.

항상성(homeostasis)은 호흡과 신장의 균형으로 조절됩니다. 즉, 호흡에서 주관하는 $PaCO_2$와 신장(대사)에서 주관하는 중탄산염 HCO_3^-가 산염기 평형(pH)으로서의 수소 H^+를 규정하고 있다는 뜻입니다.

산염기 평형의 요령은 '외우지 않는' 것, 즉 자신의 몸속에서 어떤 지지 체계가 있는지 '이해'해 봅시다. 늘 그렇듯이 놀라울 정도로 '간단'하게 누구나 이해할 수 있는 내용일 것입니다.

전문의 리키마루의 혈액가스 이야기 ❺

세션 4에서 나온 4분할표를 기억하고 계십니까?

외우지 않아도 작성할 수 있다는 얘기를 한, 그 4분할표의 완성판이 다음 페이지의 표입니다. 4개의 칸 각각에 괄호가 추가되었습니다. 이것이 보상반응을 나타낸 것입니다. 대사와 호흡은 상호보완 관계이기 때문에 대사에 문제가 생겼을 때는 호흡이 보조, 호흡에 이상이 생겼을 때에는 대사가 보조하는 끊을래야 끊을 수 없는 관계입니다.

	산증	알칼리증
대사성	HCO_3^- ↓↓ ($PaCO_2$ ↓)	HCO_3^- ↑↑ ($PaCO_2$ ↑)
호흡성	$PaCO_2$ ↑↑ (HCO_3^- ↑)	$PaCO_2$ ↓↓ (HCO_3^- ↓)

어느 한쪽에 이상이 발생했을 때, 다른 한쪽이 어떤 보조를 할까, 그것이 '보상'입니다. 결론부터 말하자면, 이 표의 괄호 부분은 보상반응을 나타낸 것입니다.

예를 들면, 대사성 산증에서 HCO_3^-가 감소하여 산혈증이 되면 그 이상의 상태에 대해 호흡은 $PaCO_2$를 낮춰서 보조한다는 것입니다. 이 보상을 이해할 수 있는가의 여부가 혈액가스를 얼마나 좋아하고 즐길 수 있을 것인지의 포인트가 됩니다.

이 보상반응은 절대 외우지 않는 것이 중요합니다. 이 책의 독자 중에는 통째로 암기에 자신 있고, 머리 기억력에도 아직 여유가 있다고 생각하는 분이 계실지 모르겠지만, 그렇다면 이런 일에 기억력을 사용하지 말고, 미슐랭 가이드가 추천한 레스토랑을 통째로 암기하시기를 추천합니다. 그 편이 절대적으로 일상생활에 도움이 될 것입니다.

보상은 '외우지 않고 이해하기'가 철칙입니다. 자, 그럼 설명을 시작합니다. 앞의 4분할표를 보시면, 각 칸 상단의 화살표가 2개 있는 것이 소위 일차성 변화라는 녀석입니다. 이 2개 화살표의 이상이 발생한 탓에 ○○성 ○○증이 되어버린 것입니다.

각 프레임 하단의 괄호 속 화살표가 한 개인 항목이 보상변화, 이른바 이차성 변화라는 녀석입니다. 신장과 호흡의 보조 체계의 결과, 어떤 변화가 일어났는가를 나타냅니다. 아래 식을 보십시오.

$$H^+ + HCO_3^- \rightleftarrows CO_2 + H_2O$$

이것이 평형식입니다. 신장(대사)으로 조절되는 HCO_3^-와 호흡으로 조절되는 $PaCO_2$가 상호반응하여 같은 식 내의 수소 H^+ 양이 결정됩니다. H^+는 산성·알칼리성(pH)을 규정하는 물질이기 때문에 HCO_3^-와 $PaCO_2$ 값에 의해 **pH가 정해지는 것을 알 수 있습니다.** 그리고 한가운데 기호($\rightleftarrows$)가 무엇인지 궁금하시죠? 이것은 평형 기호이며, 오른쪽에서 왼쪽으로의 반응과 왼쪽에서 오른쪽으로의 반응은 같은 속도로 일어나고 있기 때문에 언뜻 보면 변화가 없는 것처럼 보인다는 것입니다. 실질적으로는 변화하고 있지 않은 상태로, 이상이 일어나면 오른쪽으로 또는 왼쪽으로 변화한다고 생각해 주십시오. 그리고 지금부터가 보상을 이해하기 위한 본 주제입니다.

보상은 책에 의하면, 지갑 속 돈의 출입이나, 가계부, 저울 등으로 비유되는 경우가 있지만, 여기에서는 모래밭의 모래를 이용하여 설명합니다. 아마, 아니 확실하게 이 비유가 가장 이해하기 쉬울 것입니다. 세상에서 최고는 멋으로 하는 것이 아니라고 생각해주셨으면 좋겠습니다.

자, 먼저 대사성 산증을 생각해 봅시다. **사막의 모래를 상상해 주십시오.** 바슬바슬한 모래가 눈앞에 평평하게 펼쳐져 있습니다. 아주 평평하고 잔잔한 상태의 사막이 완전히 정상적인 산염기 평형의 균형 잡힌 상태입니다. 대사성 산증은 일차성 변화로, HCO_3^-가 감소되어 야기됩니다. 바슬바슬한 사막에서 돌연 대사성 산증, 즉 HCO_3^- 부분에 깊이 구멍이 뚫려버린 상황입니다. 사막의

바슬바슬한 모래에 깊고 깊은 우물처럼 구멍이 패입니다. 이것이 대사성 산증입니다.

'무슨 소리야?'라고 생각하시죠? 지금부터가 보상의 묘미입니다.

아주 깊게 우물처럼 열심히 구멍을 파 보았지만, 사막의 모래는 바슬바슬하기 때문에 당연히 모래는 무너지고 구멍은 메워져 버립니다. 이것이 '보상'입니다. 아주 깊게 구멍이 패여 대사성 산증이라는 이상 상태가 발생하였고, 이렇게 HCO_3^- 부분에 구멍이 있는 것 같은 이상 상태는 위험하기 때문에, 인체가 모래를 허물어 깊은 구멍을 조금이라도 메우려하는 것입니다. 공식으로 말하면, 화학반응은 왼쪽으로 진행하게 됩니다. 그러면 어떻게 될까요? $PaCO_2$ 부분의 높이는 원래의 높이에 비해 어떻게 되어 있나요? 모래가 왼쪽으로 흘렀기 때문에, $PaCO_2$ 부분의 높이는 내려간다. 즉 **'대사성 산증으로 HCO_3^-가 내려가면, 그 구멍을 조금이라도 메우려고 $PaCO_2$는 감소된다'**는 것입니다. 이것이 '보상'입니다. 물론, 아무리 구멍을 메우려 해도 HCO_3^-의 깊이보다는 반드시 얕아집니다. 이것을 어렵게 말하면, '이차성 변화는 일차성의 변화를 넘을 수 없다'라는 각종 참고서에 쓰여 있는 난해한 문구에 해당됩니다.

보상은 결코 외우지 말고, 체내에서 무엇이 일어나고 있는지 상상할 수 있도록 하십시오.

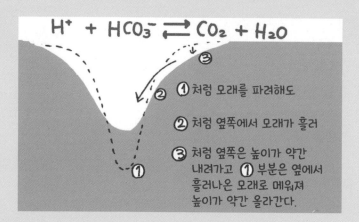

4분할표의 모든 것을 설명하면 졸릴 수 있으므로(가르치고 있는 쪽이), 하나만 더 설명하기로 하겠습니다. 호흡성 산증을 생각해 봅시다. 사막의 모래를 상상해 주십시오. 바슬바슬한 모래가 평평하게 눈앞에 펼쳐져 있습니다. 호흡성 산증은 4분할표에 따르면, $PaCO_2$가 증가하여 산증이 되는 것입니다. 바슬바슬했던 사막이 돌연, 호흡성 산증이 됩니다. 예를 들면, 상부 소화관 내시경 검사를 위해 진정제를 사용하여 약간 효과가 있는 상황입니다. 평평했을 사막에 양동이로 모래를 쌓듯이 $PaCO_2$ 부분이 점점 높아져 갑니다. 아주 높이 모래를 쌓아갑니다. 당연히 쌓은 모래는 무너집니다. 예술적으로 열심히 높게 쌓은 모래탑이 무너지면, 탑의 높이는 낮아지고 대신 HCO_3^- 부분의 높이는 약간 높아집니다. 이것이 '보상'입니다.

위험할 정도로 증가해 버린 $PaCO_2$를 일단 낮추기 위해 탑을 무너뜨리는 것입니다. '호흡성 산증으로 $PaCO_2$가 증가하면, 그 높이를 낮추려고 탑은 무너지고, HCO_3^-는 약간 증가한다.' 이것이 '보상'입니다.

어떻습니까? 상상에 성공하셨습니까? 흥미가 있다면 뒤의 2개도 시도해 보십시오. 똑같이 설명할 수 있을 것입니다.

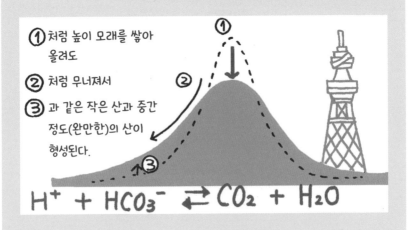

① 처럼 높이 모래를 쌓아 올려도

② 처럼 무너져서

③ 과 같은 작은 산과 중간 정도(완만한)의 산이 형성된다.

$$H^+ + HCO_3^- \rightleftarrows CO_2 + H_2O$$

수련의　……

간호사　……

수련의　보상은 겨우 이것뿐인가요?

간호사　저도 보상은 훨씬 어려울 것이라고 생각했는데. 이것이 제 몸속에서도 일어나고 있는 것이군요.

전문의　그래요. 알게 되면 특별할 것 없는, 단순한 자연스러운 섭리 중의 하나죠.

수련의　확실히 이런 것이라면 외워서는 안 된다는 말씀도 납득이 갑니다.

간호사　갑자기 혈액가스를 읽어 보고 싶어져요…….

수련의　동감이에요. 지금이라면 볼 수 있는 척이 아니라, 그냥 읽을 수 있을 것 같아요.

전문의　혈액가스가 좀 흥미로워지죠? 단지 4분할표로 분류하는 것뿐이라면 3단계법으로도 괜찮지만, 보상을 이해할 수 있다면 깊어지는 느낌이 들어요.

그리고 한 가지 주의할 점이 있어요. 호흡성 보상은 호흡이 빨라지거나 느려지는 것으로 신속하게 보조 기능이 작동하지만, 대사성 보상은 약간 시간이 걸린다는 것을 기억해 주세요. 대사성 보상은 신장의 세뇨관에서 소변 속 중탄산염을 재흡수하거나 억제하여 배설량을 조절합니다. 이 변화는 며칠에서 1주일 정도로 완만하게 완성됩니다.

수련의 아, 책에서 읽은 적 있어요. 보상이 확실하게 효과가 있으면 만성 경과로, 보상의 효과가 충분하지 않으면 급성 변화가 의심된다고 쓰여 있었습니다.

간호사 오, 공부하신 거예요? 감동.

수련의 리키마루 선생님 수제자는 폼으로 하는 것이 아닙니다.

간호사 수제자요? 처음 듣는 말인데요. 저번에 외과 선생님한테도 평생 따라가겠다고 하지 않았나요?

수련의 어, 그건 리키마루 선생님께는 비밀이에요. 리키마루 선생님, 그 선생님께는 인사 치레로 드린 말입니다.

전문의 수련의 선생, 기분 좋은 인사치레 고마워요(--;;). 급성인지, 만성인지 혹은 혼합 상태인지를 감별하기 위해 BE (염기 과잉)를 사용할 수 있어요. BE에 대해서는 별도의 칼럼(→ p. 93)에서 설명할게요. 우선, 그런 건 몰라도 혈액가스는 읽을 수 있고, 보상을 이해할 수 있다는 것을 알았으면 좋겠어요.

간호사 네.

전문의 또 하나, 주의사항이라고 할까요. 약속해 주실 것이 있습니다. 지금 두 사람, 왠지 혈액가스를 읽을 수 있을 것 같지 않아요?

수련의 확실해요. 이제 완벽합니다.

간호사 저도 읽을 수 있을 것 같아요.

전문의 지금까지의 설명대로 혈액가스는 누구나 읽을 수 있고, 보상도 누구나 이해할 수 있습니다. 이쯤에서 부탁인데, 임상에서 혈액가스를 두세 번 읽고 혈액가스에 익숙해질 때까지 당분간은 이 책 외의 혈액가스 책을 결코 열어보지 마세요. 아마 지금 읽게 되면 어중간하게 혈액가스를 알아 버렸으니 책에 적혀 있

는 다양한 오해의 소지가 있는 내용으로 틀림없이 혼란스러워질 겁니다. 그러니

당분간은 나만 믿고, 의심하지 말고 따라와 줘요.

간호사 그 말씀, 개인적으로 누군가에게 말해주고 싶어요…….

수련의 영원히 따라가겠습니다!

session point

- 보상은 모르더라도 3단계법으로 혈액가스는 분류할 수 있습니다. 그러나 보상을 알면 혈액가스가 즐거워집니다.
- 보상은 외워서는 안 됩니다. 사막의 모래를 상상하여 이해하는 것이 포인트입니다.

보상반응을 이해하자

보상한계, 보상의 예측 공식에 대해서 **column**

산염기 이상이 있을 때, 인체에서는 대사(신장)가 호흡(폐)을, 호흡(폐)이 대사(신장)를 서로 보조하는 관계입니다. 이것을 보상체계라고 했습니다(자세한 것은 세션 5의 처음으로 돌아가십시오). 이 보상체계는 무의식적으로, 강제적으로, 생리적인 반응으로 야기됩니다. 물론, 신부전 상태에서는 신장에서의 대사성 보상은 바랄 수 없으며, COPD 등의 호흡부전이 있을 경우의 호흡성 보상은 매우 한정적일 것입니다. 호흡중추에 이상이 있는 경우, 대사성 변화에 대한 호흡성 보상을 얻을 수 있을 가능성은 없습니다. 이런 합병증이 없었을 경우, 보통 사람이라면 이 정도의 보상성 변화를 바랄 수 있었을 것이라고 예상할 수 있습니다(표). 교과서·참고서에 따라 다소 차이는 있지만, 여기에서는 대표적인 예측 공식·보상한계에 대해서 언급해 보았습니다.

표 ● 산염기 평형에 관한 보상의 예측범위

호흡성 산증	급성	$\Delta HCO_3^- = 0.1 \times \Delta PaCO_2$
	만성	$\Delta HCO_3^- = 0.35 \times \Delta PaCO_2$
호흡성 알칼리증	급성	$\Delta HCO_3^- = 0.2 \times \Delta PaCO_2$
	만성	$\Delta HCO_3^- = 0.5 \times \Delta PaCO_2$
대사성 산증		$\Delta PaCO_2 = 1.2 \times \Delta HCO_3^-$
		예상되는 $PaCO_2 = 1.5 \times HCO_3^- + 8 \pm 2$
대사성 알칼리증		$\Delta PaCO_2 = 0.7 \times \Delta HCO_3^-$
		예상되는 $PaCO_2 = 0.9 \times HCO_3^- + 15$

$\Delta \bigcirc\bigcirc$은 기준치에서의 차이를 나타냅니다.

이런 예측 공식·보상한계를 외울 필요는 전혀 없습니다. 흥미가 생겼을 때 계산을 할 수 있도록, 평소 가지고 다니는 수첩에 축소 복사본을 붙여 놓으면 충분합니다. 수련의나 젊은 의사가 사람의 보상체계가 어느 정도인지 감을 기르기 위해 실제 임상에서 계산을 해보는 것이 좋을 것이라고 생각하지만, 간호사나 물리치료사 등이 임상에서 계산하는 이점도 그다지 없습니다. 보상의 예측 공식·보상

한계를 계산하는 이점은 다음과 같지만, 매우 한정된 상황에서만 효과를 발휘합니다.

- 복합적인 산염기 평형 이상의 유무를 찾는다.
- 보상체계의 실패를 조기에 예측한다.

복합적인 상태 파악의 경우, 예상되는 보상변화를 초과한 수치를 나타내고 있는 경우에는 무엇인가 다른 병리적 상태가 숨어 있다는 것을 알 수 있습니다. 복합적인 상태를 찾기 위해서는 3단계법보다 더 복잡한 판독법이 필요하지만, 우선은 눈앞의 이상을 하나씩 제거해 감으로써 그 다음 감춰진 이상, 그 다음 것 등으로 차례차례 찾아낼 수 있으므로, 이 책에서는 3단계법을 추천합니다.

보상 실패와 관련하여 아래 두 명의 환자가 있었다고 가정합니다. 언뜻 보면, 산혈증이 심한 ②가 위험할 것 같습니다.

① pH 7.20, PaO_2 80 mmHg, $PaCO_2$ 35 mmHg, HCO_3^- 14 mmol/L

② pH 7.15, PaO_2 80 mmHg, $PaCO_2$ 24 mmHg, HCO_3^- 10 mmol/L

이 두 사람의 예측되는 보상범위를 계산해 봅시다.

①번 환자의 경우, 29±2라고 예상할 수 있습니다. 한편, ②번 환자의 경우, 예상되는 보상범위는 23±2입니다. 그렇다면 ①번 환자는 보상범위를 벗어나고 있다, 즉, 본래 적절한 보상으로서 $PaCO_2$가 29±2 mmHg 정도여야 하나 충분히 보상되고 있지 않아 보상체계가 실패하고 있는 상태라는 것을 알 수 있습니다. 머지않아 상태는 더욱 악화될 것으로 예상되므로 기관내삽관 등의 인공호흡관리를 시급히 해야 하는 상태라고 볼 수 있습니다.

어떻습니까? 의외로 중요할 것 같지 않습니까?

저는 지금까지 몇 번이고 이런 상황을 만났지만, 혈액가스를 이용해 제대로 보상범위를 계산해서 다행이었다고 느낀 적은 한 번뿐이었습니다. 왜일까요? 보상으로 열심히 헉헉대던 환자의 의식수준이 저하되고, 호흡은 얕고, 리듬도 불규칙해져 점점 빈호흡을 유지할 수 없게 된다면, 임상의라면 누구라도 위험하다고 눈치챌 수 있을 것입니다. 그런 상황에서 혈액가스의 보상범위를 계산하고 있을 틈이 있다면 침대 곁으로 발길을 옮기라(환자를 살피러 직접 다가가라)는 이야기입니다.

어떤가요? 보상범위, 외우려고 하셨습니까?

이 세션에서는 '어쨌든 혈액가스를 읽어 보자!'라는 목적으로, 간단한 산염기 평형 이상을 척척 읽어보도록 하겠습니다. 임상현장에서는 때때로 간단하지 않은(= 혼합성의) 산염기 평형 이상이 있지만, 그 경우에도 우선 다뤄야 할 이상은 무엇인지를 밝혀내는 것이 중요합니다. 여기까지의 혈액가스에 대한 지식을 활용하여 '혈액가스 읽기' 연습의 장소로써, 이 세션은 조금 구성을 바꿔서 3명의 희극 문답은 쉬도록 하겠습니다. 아쉬워하실 분은 안 계시리라 생각합니다만, 양해해 주십시오.

전문의 리키마루의 혈액가스 이야기 ⑥

이제 '혈액가스 읽기' 실력을 쌓아가도록 하겠습니다. 4분할표를 보며 도전해 봅시다.

증례 ① O_2 2 L/min: pH 7.25, PaO_2 100 mmHg, $PaCO_2$ 70 mmHg, HCO_3^- 26 mmol/L

환자의 배경은 일부러 숨기고, 혈액가스만 순수하게 분석해 보겠습니다. 혈액가스에서 PaO_2는 그리 중요하지 않다고 하지만, PaO_2가 신경 쓰이는 당신! 이제라도 산소화를 먼저 평가해 버립시다. 지금은 비강 캐뉼라 2 L/min로 산소를 투여하고 있으므로 p. 24의 일람표에 따라 산소농도는 약 28%라는 것을 알 수 있습니다. 이 환자의 PaO_2는 100 mmHg이므로 PF 비, 즉 PaO_2 ÷ 일회호흡량 ≒ 357입니다. 인공호흡기 적용 시에 비해 산소요법 시의 FiO_2는 다소 유동적일 수 있으므로

PF 비는 '약(約)'으로 해두세요.

이어서, 환기 평가로 넘어가겠습니다. $PaCO_2$는 70 mmHg입니다. 정상 수치는 35~45이기 때문에 명확히 높은 수치입니다. 하지만, 이 단계에서는 "큰일 났다. 삽관, 삽관!"이라고 하지 말고, 침착하게 산염기 평형의 평가로 넘어갑니다. $PaCO_2$는 높아도 괜찮은 경우도 있기 때문입니다. 자, 이제 주제인 산염기 평형의 평가로 넘어갑니다.

준비되셨습니까?

단계 1: pH를 정상 수치 한가운데인 7.40으로 뚝 끊는다! 7.40 이하라면 산혈증, 그보다 크면 알칼리혈증입니다. 이 환자의 pH는 7.25이기 때문에 산혈증으로 판단합니다.

단계 2: 단계 2는 단계 1에서 확인한 **산혈증·알칼리혈증이 호흡성 산염기 평형 이상인가 아닌가**를 평가합니다. 산혈증일 때는 4분할표의 산증 부분만 봐주시기 바랍니다.

	산증	알칼리증
대사성	$HCO_3^- \quad \downarrow\downarrow$ $(PaCO_2 \quad \downarrow)$	$HCO_3^- \quad \uparrow\uparrow$ $(PaCO_2 \quad \uparrow)$
호흡성	$PaCO_2 \quad \uparrow\uparrow$ $(HCO_3^- \quad \uparrow)$	$PaCO_2 \quad \downarrow\downarrow$ $(HCO_3^- \quad \downarrow)$

호흡성 산증에서는 $PaCO_2$가 증가합니다. 산염기 평형의 이상(異常)은 호흡성이나 대사성, 두 가지 중 하나이므로, 호흡성 아니면 대사성이라는 것을 알 수 있습니다. 이 환자의 $PaCO_2$는 70 mmHg로 증가되고 있습니다. 즉, 해당 단계에서 호흡성 산증으로 판단할 수 있습니다.

단계 3: HCO_3^-를 확인하여 **단계 2에서 판단한 산염기 평형 이상에 모순이 없는지** 판단합니다. 모순이 있는 경우에는 혼합성 산염기 평형 이상이 있음을 알 수 있습니다. HCO_3^-는 $PaCO_2$에 비해 변동 폭이 작기 때문에 HCO_3^-에서 다소 1~2 mmol/L 정도의 오차는 발생할 수 있습니다. 조금 여유로운 마음으로 임해 주십시오.

이 환자는 단계 2에서 호흡성 산증이라는 것을 알 수 있었습니다. 4분할표를 보면 호흡성 산증에서 HCO_3^-는 증가할 것입니다. 확인해 봅시다.

	산증	알칼리증
대사성	HCO_3^- ↓↓ ($PaCO_2$ ↓)	HCO_3^- ↑↑ ($PaCO_2$ ↑)
호흡성	$PaCO_2$ ↑↑ (HCO_3^- ↑)	$PaCO_2$ ↓↓ (HCO_3^- ↓)

이 환자의 HCO_3^-는 26 mmol/L로 약간 증가했으며, 단계 2에서 밝혀진 호흡성 산증에서 모순은 없는 것 같습니다.

어떻습니까? 산염기 평형을 평가하는 것은 간단하지요? 이 환자는 정형 외과에서 골절 수술을 한 상태로 통증과 섬망을 조절하기 위해 진통제를 투여한 후 의식수준이 저하되고 호흡이 약해진 증례였습니다. 다음 증례로 넘어가겠습니다.

증례 ②　O_2 1L/min: pH 7.25, PaO_2 80 mmHg, $PaCO_2$ 25 mmHg, HCO_3^- 15 mmol/L

우선 산소화를 평가합니다. 비강 캐뉼라 1 L/min이므로 산소농도는 약 24%입니다. 비강 캐뉼라 1 L/min에서 PaO_2 80 mmHg로 표현해도 좋고, PF 비로 표현해도 상관없습니다. 요컨대, PF 비는 80 ÷ 0.24 ≒ 333, 약 333이라는 것을 알 수 있습니다. 이어서 환기 평가입니다. $PaCO_2$는 25 mmHg로 정상 수치 35~45에 비해 명확히 낮습니다. $PaCO_2$는 낮은 경우(=활력징후는 빈호흡)도 요주의입니다. '$PaCO_2$는 쌓이지 않기 때문에 좋다'가 아니라, 냉정하게 산염기 평형를 평가합니다. 물론 $PaCO_2$는 병리적 상태에 따라 최적치가 다르므로, 이 단계에서 적극적으로 올려서는 안 됩니다. $PaCO_2$가 낮다는 것을 인지하고, 다음 산염기 평형 평가로 진행합니다. 산염기 평형의 3단계는……

단계 1: pH는 7.25이므로, 산혈증입니다.

단계 2: 산혈증일 때는 산증 열(列)만 보도록 합시다. 산증에서는 호흡성이라면 $PaCO_2$가 증가합니다. 그렇지 않으면 대사성입니다.

	산증	알칼리증
대사성	HCO_3^- ↓↓ ($PaCO_2$ ↓)	HCO_3^- ↑↑ ($PaCO_2$ ↑)
호흡성	$PaCO_2$ ↑↑ (HCO_3^- ↑)	$PaCO_2$ ↓↓ (HCO_3^- ↓)

이 환자의 $PaCO_2$는 25 mmHg으로 증가되지 않았습니다. 즉, 이 환자는 호흡성 산증이 아닌 대사성 산증이 있는 것입니다.

단계 3: 4분할표에 따르면, 대사성 산증일 경우에 HCO_3^-는 감소한다고 쓰여 있습니다. 확인해 봅시다.

	산증	알칼리증
대사성	HCO_3^- ↓↓ ($PaCO_2$ ↓)	HCO_3^- ↑↑ ($PaCO_2$ ↑)
호흡성	$PaCO_2$ ↑↑ (HCO_3^- ↑)	$PaCO_2$ ↓↓ (HCO_3^- ↓)

이 환자의 HCO_3^-는 15 mmol/L로, 정상 수치 24에 비해 현저히 감소되어 있습니다. 혈액가스는 대사성 산증이 틀림없을 것 같습니다. 이 환자는 급성 신부전으로 슬슬 혈액투석을 하려고 준비하던 상황이었습니다.

증례 ③ O_2 1 L/min: pH 7.50, PaO_3^- 100 mmHg, $PaCO_3^-$ 25 mmHg, HCO_3^- 23 mmol/L

이미 익숙해졌죠? '끈질기네, 짜증나'라고 생각하지 말고, 조금만 더 설명하겠습니다.

산소화: 비강 캐뉼라 1 L/min, 즉 산소농도는 약 24%입니다. PF 비로 나타내면 100 ÷ 0.24 ≒ 417입니다.

환기: $PaCO_2$는 25 mmHg으로 낮은 수치입니다. 비정상적인 수치지만, 이 단계에서는 액션을 취하지 말고, 산염기 평형의 평가로 진행합니다.

단계 1: pH는 7.40을 경계로 분류합니다. 이 환자는 7.50이므로, 알칼리혈증입니다.

단계 2: 단계 1에서 알칼리혈증일 경우, 알칼리증 열(列)만 봅니다.

	산증	알칼리증
대사성	HCO_3^- ↓↓ ($PaCO_2$ ↓)	HCO_3^- ↑↑ ($PaCO_2$ ↑)
호흡성	$PaCO_2$ ↑↑ (HCO_3^- ↑)	$PaCO_2$ ↓↓ (HCO_3^- ↓)

단계 2는 $PaCO_2$를 보고, 알칼리증이 호흡성인지 아닌지 판단하는 것이었습니다. 4분할표에 따르면, 호흡성 알칼리증에서는 $PaCO_2$가 감소됩니다. 이 환자의 $PaCO_2$는 25 mmHg이기 때문에 정상 수치인 35~45에 비해 분명히 감소되고 있습니다. 이 환자는 호흡성 알칼리증임을 알 수 있습니다.

단계 3: 4분할표에 따르면, 단계 2에서 판명된 호흡성 알칼리증에서 HCO_3^-는 감소되고 있습니다.

	산증	알칼리증
대사성	HCO_3^- ↓↓ ($PaCO_2$ ↓)	HCO_3^- ↑↑ ($PaCO_2$ ↑)
호흡성	$PaCO_2$ ↑↑ (HCO_3^- ↑)	$PaCO_2$ ↓↓ (HCO_3^- ↓)

이 환자의 HCO_3^-는 23 mmol/L로 약간 감소되어 있습니다. 단계 2에서 판단한 호흡성 알칼리증에 실수는 없는 것 같습니다. 이 환자는 변비로 인한 복통 때문에 너무 아파서 과환기를 했던 환자였습니다.

'끈질기네, 짜증나'라고 느끼시는 분들! 여러분이 혈액가스를 그렇게 간단히 읽을 수 있게 되어서 매우 기쁩니다. 혈액가스라는 것은 이렇게 아무렇지 않게 읽을 수 있는 것입니다.

증례 ④   room air: pH 7.50, PaO$_2$ 80 mmHg, PaCO$_2$ 55 mmHg,
HCO$_3$$^-$ 35 mmol/L

호흡성·대사성 산증, 호흡성 알칼리증이라면, 마지막에는…… 등의 고식적인 생각을 하지 말고 혈액가스를 읽어 봅시다.

산소화: room air이기 때문에 산소농도는 21%입니다. PF 비로 하면 80 ÷ 0.21 ≒ 381. 산소화는 그다지 문제없을 것 같습니다.

환기: PaCO$_2$는 55 mmHg으로 높은 수치입니다. "위험하다. CO$_2$가 쌓여 있다!" 라고 위험 모드에 빠지지 말고, 산염기 평형 평가로 진행합시다.

단계 1: 알칼리혈증입니다.

단계 2: PaCO$_2$가 저하되지 않았으므로 호흡성 알칼리증은 아닙니다.

	산증	알칼리증
대사성	HCO_3^- ↓↓ ($PaCO_2$ ↓)	HCO_3^- ↑↑ ($PaCO_2$ ↑)
호흡성	$PaCO_2$ ↑↑ (HCO_3^- ↑)	$PaCO_2$ ↓↓ (HCO_3^- ↓)

즉, 대사성 알칼리증임을 알 수 있습니다.

단계 3: 4분할표에 따르면, 대사성 알칼리증에서는 HCO_3^-가 증가합니다.

	산증	알칼리증
대사성	HCO_3^- ↓↓ ($PaCO_2$ ↓)	HCO_3^- ↑↑ ($PaCO_2$ ↑)
호흡성	$PaCO_2$ ↑↑ (HCO_3^- ↑)	$PaCO_2$ ↓↓ (HCO_3^- ↓)

확인하면, 이 환자의 HCO_3^-는 35 mmol/L로 정상 수치 24에 비해 분명히 증가되어 있습니다. 이 환자의 산염기 평형은 대사성 알칼리증으로서 모순은 없습니다.

어떠신가요? 이제 술술 읽을 수 있을 것 같나요? 혈액가스, 그리 어렵지 않지요?

요컨대, 이 증례 ④번 환자는 대사성 알칼리증의 호흡성 보상으로 환자가 일부러 $PaCO_2$를 모아주고 있는(=얕고 천천히 호흡하고 있는) 상황입니다. 환기 평가 단계에서, "우와 큰일났다. CO_2가 쌓여 있다!"라고 성급하게 판단하여 당황하지 마십시오. **'일부러' 모아주고 있는 CO_2는 축적되어 있어야 할** 상황입니다.

$PaCO_2$가 높다고 하여 안일하게 낮추지 말고, 침착하게 평가합시다.

이 환자는 이뇨제(라식스®)를 처방받는 대로 매일 빠짐없이 오랫동안 복용해오던 성실한 만성심부전 환자입니다. 이 혈액가스 검사로 동시에 저칼륨혈증이 있다는 것을 발견하여 이를 보정하고 이뇨제의 감량과 스피로노락톤(알닥톤®)을 추가하여 점차 대사성 알칼리증은 개선되었습니다.

증례 ⑤ O$_2$ 8 L/min: pH 7.00, PaO$_2$ 60 mmHg, PaCO$_2$ 70 mmHg, HCO$_3^-$ 15 mmol/L

심화 문제입니다. 여기까지의 흐름대로, 이 환자의 혈액가스를 읽어 봅시다.

산소화: 산소 투여는 부분 재호흡 산소 마스크 8 L/min이므로 산소농도는 약 80%입니다. PF 비는 60÷0.8=75로, 현저한 산소화 장애가 있음을 알 수 있습니다. 인공호흡관리가 필요할 가능성이 매우 높은 상황이지만, 우선 다음 환기 평가로 진행하겠습니다.

환기: PaCO$_2$는 70 mmHg으로, 분명히 증가하고 있습니다. 산소화 평가와 함께, 역시 인공호흡 가능성이 높을 것 같습니다. 주위 의료진에게 의뢰하여 백 밸브 마스크(BVM) 환기·기관내삽관 준비를 진행해도 되겠지만, 여기에서는 침착하게 산염기 평형의 평가로 진행하겠습니다.

단계 1: pH 7.00이므로, 현저한 산혈증이 있습니다.

단계 2: 산혈증일 때는 산증 열(列)만 봅니다.

4분할표에 따르면, PaCO$_2$가 증가하고 있으면 호흡성 산증입니다. 이 환자의 PaCO$_2$는 70 mmHg로 증가되어 있으므로, 단계 2까지 볼 때 호흡성 산증이라는 것을 알 수 있습니다. 이 단계에서 산소화도 현저히 나쁘고, 호흡성 산증으로 CO$_2$가 쌓여 있는 이상 상태인 것으로 파악되므로 BVM 환기나 기관내삽관을 결정해서 시행해도 OK입니다. 산염기 평형의 평가는 **3개의 단계로 구성되어 있지만, 임상적으로는 대개 단계 2까지로 충분**합니다. 우선 실시해야 할 것은 단계 2까지 제대로 수행하는 것입니다(특히 인공호흡의 필요성은 중요하다!). 여기에서는 조금 여유가 있으므로, 단계 3으로 넘어가 보겠습니다.

단계 3: 4분할표에 따르면 호흡성 산증에서 HCO$_3^-$는 증가할 것입니다. 이 환자는… HCO$_3^-$ 15 mmol/L! 분명 정상 수치 24에 비해 감소되고 있습니다. 이상하고, 모순적입니다. 그래서 이 환자는 혼합성 산증(호흡성 산증과 대사성 산증이 함께 있는 혼합 상태)임을 알 수 있는 것입니다.

이 혼합성 산증을 단계 2까지 호흡성 산증이라고 판단하는 것이 그다지 문제가 되지 않습니다. 따라서 단계 2에서 호흡성 산증이라는 판단 하에 BVM 환기나 기관내삽관을 실시합니다. 다음은 통상적으로 임상에서 수행하는 대로 활력징후를 확인하고, 필요한 처치 등을 시행하게 됩니다.

사실, 단계 3까지 진행하면 혼합성 상태라는 것을 알게 되고, 대사성 산증이 있음을 알아차릴 수 있습니다. 대사성 산증이라는 것을 알게 되면 쇼크, 신부전 등과 같은 질환 감별로 이어집니다. 하지만, 단계 3에서 알아차릴 수 있는 이러한 이상 중에서 신속하게 간파해야 할 것은 쇼크(저혈압 포함) 정도입니다. 쇼크는 활력징후로 감지할 수 있습니다.

그래서 일단 단계 3까지는 있지만, 보통 단계 2까지로 충분한 경우가 많다는 것입니다. 단계 2까지의 평가로 끝났을 경우에는 어떻게 하는가 하면 문제점으로 도출된 호흡성 산증을 치료합니다. 그러면 호흡성 산증이 없어지기 때문에, 공공연하게 숨어 있던 대사성 산증이 드러납니다. 하나씩 문제점에 대처해 가다보면 제대로 골대에 이르게 되는 것입니다.

이 마지막 환자는 패혈증이 진행된 상태로, 이미 심폐정지 직전의 위험한 상태였습니다.

이 세션에서는 실제로 혈액가스를 읽어 봤습니다. 어떠셨나요? 그다지 어렵지 않다는 것을 이해하셨나요? 당장 내일부터 임상에서 혈액가스를 읽어 보고 싶어졌나요?

완충계에 대해서 **column**

주의: 이 항목은 다소 고난이도의 내용입니다. 이해의 혼란을 피하기 위해서라도,
　　　이 책의 내용을 대략 이해할 수 있는 분들만 읽어 주십시오.

대사성 산증, 대사성 알칼리증이 되면 일차성 변화로써 HCO_3^-가 변합니다. 그러면 호흡 중추가 신속하게 반응하여 호흡성 보상으로 $PaCO_2$를 올리거나 내립니다. 한편, 호흡성 이상이 발생하면 혈액가스 상의 HCO_3^-가 변합니다. 호흡성 산증에서는 HCO_3^-가 증가하고, 호흡성 알칼리증에서는 HCO_3^-가 감소합니다.

이 책에서는 여기까지 신장에서의 보상체계로써 HCO_3^-가 변할 것이라고 설명했습니다. 이 설명은 최종적으로는 올바른 표현이 되겠지만, 비정상이 되자마자 바로 그렇다고 할 수는 없습니다. 모든 교과서에는 '호흡성 이상에 대한 대사성 보상은 며칠~1주일 정도에 걸쳐 진행된다'라고 쓰여져 있습니다. 그렇다면, 호흡성 이상이 일어난 직후에는 HCO_3^-는 변하지 않기 때문에 3 단계법으로 판별할 수 없다는 뜻이 됩니다. 하지만 실제로 혈액가스를 검사해 보면 호흡성 이상이 일어나자마자 HCO_3^-가 제대로 있습니다.

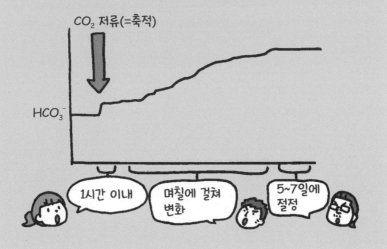

실제 이 급성기 HCO_3^-의 변화는 적혈구의 '완충계'로 인해 보상과 같은 현상이 일어나고 있습니다. 그 때문에 보상이 작동하지 않은 급성기부터 보상과 마찬가지로 HCO_3^-가 변하고 있어서 3 단계법으로 제대로 급성기부터 판별이 가능한 것입니다. 완충계를 모르더라도, '신장에서의 보상은 며칠 이후에 일어나는 것인데, 왜 그 이전부터 HCO_3^-가 변하고 있을까'라는 의문만 품지 않는다면, 보상 지식으로 무사히 극복할 수 있습니다. 완충계는 신장에서의 보상체계가 작동하기 전까지의 중간 연결, 우선적인 지원 기능이라고 생각해 주십시오. 적혈구는 생각보다 대단한 역할을 합니다.

세션 3 '환기를 평가하자'에서 '환기(CO_2)는 호흡수와 일회호흡량으로 조절한다'는 것은 이미 다뤘습니다. 이것은 대원칙이며, 실제로 호흡수를 늘리면 $PaCO_2$는 감소되고, 일회호흡량을 줄이면 $PaCO_2$는 증가합니다. 그런데, '목표인 $PaCO_2$ 수준을 어느 정도로 할 것인가'는 전혀 차원이 다른 이야기입니다.

이 세션에서는 '얼핏 보기에 조절이 간단한 환기(CO_2)'가 얼마나 심오한 것인가를 살펴보겠습니다. 이해의 관건은 그때그때의 '$PaCO_2$ 최적 수치'를 읽어야 하며, 반드시 정상 기준치를 목표로 해서는 안 된다는 것입니다.

전문의 리키마루의 혈액가스 이야기 7

여기에서는 환기관리의 심오함을 살펴보고자 합니다. 환기관리란 $PaCO_2$ 관리를 가리킵니다. $PaCO_2$는 세션 3에서 말한 바와 같이, 일회호흡량이나 호흡수로 용이하게 관리할 수 있습니다. $PaCO_2$를 낮추고 싶으면, 호흡수를 늘리거나 일회호흡량을 늘리면 됩니다. $PaCO_2$를 높이고 싶으면, 호흡수를 줄이거나 일회호흡량을 줄이면 됩니다. **최대한으로 환기시키면 $PaCO_2$는 감소되고 환기시키지 않으면 $PaCO_2$는 증가합니다.** 이 기본 원칙은 나중에 언급할 auto–PEEP이 발생하는 특수한 긴급사태를 제외하고는 보편적으로 성립합니다.

이렇게 간단하게 조절할 수 있는 환기(CO_2)지만, **목표로 하는 $PaCO_2$를 어느 정도로 할 것인지**는 매우 어렵고, 고도의 지식을 요하는 문제입니다.

$PaCO_2$의 정상 수치(기준 범위)는 35~45 mmHg입니다. 그러나 이 정상 수치를 목표로 삼아야 할지의 여부는 병리적 상태에 따라 다릅니다. 실제 임상에서 **정상 수치를 목표로 해도 되는 경우는 매우 제한된** 상황뿐이고, $PaCO_2$를 일부러 낮게 유지해야 하는 상황이나, 의도적으로 $PaCO_2$가 높은 것을 허용해야 하는 경우도 있습니다. 지면에 한계가 있으므로 모든 상황에 대해 이야기할 수 없지만, 임상적으로 흔히 있는 상황이나 특히 조심해야 할 상황을 중심으로 설명하겠습니다.

상황 ① 특히 환기나 산염기 평형에 이상이 없고, 기도 확보 및 산소화 개선을 목적으로 인공호흡관리를 시작한 경우

상황 ② 단순한 급성 환기부전으로, 혈액가스 상으로도 호흡성 산증이 있는 경우

이런 경우에는 $PaCO_2$는 정상 수치를 목표로 삼아도 괜찮습니다. $PaCO_2$를 정상 수치로 유지할 수 있다면 pH도 정상 범위로 유지할 수 있습니다.

상황 ③ 만성 II형 호흡부전 등 평소 환기 장애가 있고 대사성 보상에 의해 pH가
교정되고 있는 경우

기본 개념은 '평소 $PaCO_2$가 축적되고, 생체의 보상체계로서 pH가 유지되고
있는 경우에는 평소대로 $PaCO_2$ 수치를 목표로 한다'는 것입니다. COPD (만성
폐쇄성 폐질환) 등 비록 평소부터 $PaCO_2$가 축적되어 있는 질환일지라도 인공
호흡관리로 환기의 기본 원칙에 따라 호흡수나 일회호흡량을 늘리면, $PaCO_2$
를 훌륭하게 정상 수치로 만들 수 있습니다. 이런 환자의 $PaCO_2$를 정상 수치
로 만들어 버리면 평소의 보상으로 인한 HCO_3^- 증가가 있기 때문에 혈액가스
는 대사성 알칼리증이 되고, pH도 알칼리혈증이 되고 맙니다. 즉, $PaCO_2$를 정
상화시켰기 때문에 비정상적인 상태가 되고 만다는 것입니다.

상황 ④ 쇼크나 신부전 등 대사성 산증이 있는 경우

대사성 산증이 있는 경우, 정상적인 보상반응이 있는 사람은 호흡성 보상으
로서 $PaCO_2$가 감소합니다. $PaCO_2$가 감소된다는 것은 신체적 측면에서는 빈
호흡이 되어 환기량이 증가한다는 것입니다. 즉, 정상적인 호흡반응이 있으면
보통 CO_2가 감소합니다.

대사성 산증에서는 $PaCO_2$가 감소되는 것이 중요한 보상반응임을 기억합시
다. 과환기가 되고 $PaCO_2$를 감소시켜서 어떻게든 pH 저하를 막고 있는 것입
니다. 특히, 쇼크 환자에게 기관내삽관을 한 경우에는 충분히 주의가 필요합니
다. 인공호흡을 하기 때문에 감소하던 $PaCO_2$가 증가해버려 산증이 진행되고
마는 함정을 가끔 목격합니다.

인공호흡이란 사람의 생리적 호흡에 의한 보상반응을 빼앗는 행위입니다.
인공호흡관리 시에는 본래 가지고 있는 호흡성 보상에 입각하여 관리할 필요
가 있습니다.

상황 ⑤ 두개내압이 증가하고 있는 경우

수막염이나 뇌경색처럼 두개내압이 증가하고 있다면, 생리적으로 과환기가
됩니다. 과환기가 되어 $PaCO_2$가 감소하면 뇌 내 혈관은 수축하고 뇌 내의 혈

액 용량이 감소하여 그만큼 두개내압이 감소됩니다.

반대로 말하면, 두개내압이 증가하고 있는 상황에서 환기 장애가 진행되어 $PaCO_2$가 증가하면, 두개내압이 증가하여 뇌 장애가 진행될 수 있는 것입니다.

다만, 너무 낮은 $PaCO_2$는 뇌혈관을 수축시켜 뇌 허혈이 진행되는 것으로 알려져 있습니다. 따라서, **두개내압이 증가하고 있는 환자의 $PaCO_2$는 정상 수치 내 하한을 목표로** 합니다. 절박한 뇌 탈출(hernia)이 있는 단기적인 응급상태에서는 더 낮은 수준으로 관리하는 경우도 있지만, 일반적인 대처는 아니라고 생각해 주십시오.

상황 ⑥ 대사성 알칼리증이 있는 경우

대사성 알칼리증이 있는 경우, 호흡중추가 정상적으로 기능하고 있다면 호흡성 보상으로서 $PaCO_2$는 증가합니다. 이 호흡성 보상인 $PaCO_2$를 인공호흡으로 감소시키면 당연히 알칼리혈증으로 진행하며, 전체적으로 이상 상태가 악화됩니다. 이 경우에도 $PaCO_2$는 높은 수치가 허용되며, 기본적으로 원인질환에 대한 대처가 중요합니다.

왜 굳이 이 문제를 다루었는가 하면, 많은 이뇨제, 특히 일상적으로 자주 사용되는 푸로세미드(라식스®)는 저칼륨혈증과 대사성 알칼리증이라는 부작용을 초래하는 것으로 알려져 있기 때문입니다. 따라서 라식스®를 사용하고 있는 환자는 산염기 평형 이상이 일어날 가능성이 높아 정기적인 혈액가스 검사가 필요하지만, 이는 그다지 일반적인 대처는 아닐 것입니다.

라식스® 사용 환자는 약제의 부작용으로 인해 대사성 알칼리증이 초래되어 $PaCO_2$가 높아지게 된다는 사실을 알아둘 필요가 있습니다. $PaCO_2$가 증가한다는 것은 신체적 측면에서 호흡수가 감소하고 흉곽 움직임이 감소하는 것입니다. 라식스®를 복용하고 있는 환자에서 이러한 이상 상태를 확인한 경우에는 혈액가스에 대한 평가를 고려해야 합니다. 만약, 혈액가스에서 대사성 알칼리증으로 판단되는 경우에는 저칼륨혈증이 있으면 교정하고 라식스®의 감량·중지를 고려해야 합니다. 그래도 이뇨제가 필요하면 대사성 알칼리증 치료제 아세타졸아마이드(다이아목스®)라는 이뇨제를 처방합니다. 라식스®의 일부를 아세타졸아마이드로 변경하여 병용하는 경우도 있습니다.

환기(CO_2)관리에 주의를 요하는 대표적인 병리적 상태에 대해 다뤘습니다. $PaCO_2$는 반드시 정상 수치를 지향해서는 안 된다는 것을 이해하셨나요? $PaCO_2$의 최적 수치는 환자의 원래 호흡상태나 혈액가스에서의 산염기 평형, 전신상태 등에 따라 크게 다릅니다.

꽤 어려운 내용일 수 있으나, 최소한 항상 정상 수치를 목표로 해야 하는 것은 아니라는 것을 기억해 두시기 바랍니다.

간호사 대략 이해는 했지만, 환기관리란 것이 어렵군요.

수련의 심오하죠. 들으면 알 수 있겠지만, 실제로 할 수 있을까 하면······.

전문의 꽤 어려워요.

수련의 산염기 평형도 알아야 하고, 본래의 호흡상태도 고려해야 하고, 게다가 두개 내압 관리도 이해하지 않으면 안 되는 거죠. 너무 어려워요.

전문의 맞아요. 여기서는 이런 대표적인 예를 보고 $PaCO_2$ 최적 수치는 다양하다는 것을 알아 주었으면 했어요. 예를 들어, $PaCO_2$가 60 mmHg인 사람이 있다고 가정합시다. 정상 수치일까요? 이상 수치일까요?

간호사 명확한 이상 수치입니다. 정상 수치는 35~45 mmHg이죠.

전문의 그럼 같은 60 mmHg라도, 80 mmHg에서 감소되고 있는 경우와 40 mmHg 에서 증가하고 있는 경우를 비교하면 어떨까요?

간호사 80 mmHg에서 감소되고 있는 경우라면 상태가 개선되고 있는 중이므로, 응급을 요하지는 않을 것 같아요. 40 mmHg에서 증가하고 있는 경우라면, 어떤 이상 상태가 발생하고 있을 가능성이 높다고 생각해요.

전문의 그렇죠? 그러니까 그 수치 자체도 중요하지만, 시계열(time series)에서의 결과도 중요해요. 자, COPD나 만성 II형 호흡부전 환자가 급성 악화로 인해 인공호흡기를 적용한 경우는 어떨까요?

수련의 원래 CO_2 수치가 높은 경우에는 다소 높은 듯한 $PaCO_2$로 관리해주면 괜찮았어요.

전문의 그렇죠. 만성 II형 호흡부전인 환자는 평소 호흡성 산증으로 CO_2가 증가되어 있어요. 이 사람에게는 어떤 보상기능이 작동하고 있나요?

간호사 호흡성 산증이니까 대사성 보상으로서 HCO_3^-가 증가합니다.

전문의 네, 맞아요. 이런 환자는 폐기능 장애 때문에, 평소 $PaCO_2$가 높은 상태로 이어지고 있어요. 호흡상태에 달려있기도 하지만요. 조금씩 HCO_3^-를 모아서, 결국은 호흡성 산증임에도 불구하고 pH가 정상 범위로 유지되기도 합니다.

간호사 이 환자의 $PaCO_2$를 정상 수치로 만들면, 어떻게 됩니까?

전문의　지금까지의 호흡관리 대원칙대로, 이런 환자도 호흡수를 올리거나 일회호흡량을 늘리면, $PaCO_2$는 마음대로 조절할 수 있어요. 수련의 선생, 호흡성 산증 환자의 $PaCO_2$ 수치를 정상화시켰을 경우, 대사성 보상은 어떻게 될 것 같아요?

수련의　대사성 보상이 불필요해지니까, 증가하던 HCO_3^-가 감소한다…… 맞습니까?

전문의　명쾌합니다. 만성 호흡성 산증 환자의 $PaCO_2$를 정상화시킴으로써, 쌓이고 있던 HCO_3^-는 점차 배출되고, pH도 차차 정상 수치에 가까워집니다. 이 환자는 COPD로 인한 호흡장애 때문에 평소 CO_2가 쌓이고 있었어요. 이 사람의 급성기 관리가 끝나고, 막상 이탈을 진행하려는 단계에 이르렀다고 합시다. 지금까지 인공호흡기로 무리하게 $PaCO_2$를 정상 수치로 유지해온 셈인데, 이탈 단계에서는 어느 정도의 $PaCO_2$ 수치를 얻을 수 있을까요?

간호사　원래 만성질환으로 폐가 나빴으니까, 급성 악화가 좋아졌다고 해도 $PaCO_2$는 베이스라인까지 밖에 돌아오지 않을 것 같은데요?

수련의　그렇겠죠? 기껏해야 발병 이전의 베이스 라인이나, 경우에 따라서는 질환의 진행으로 $PaCO_2$가 더 축적되어 버리겠죠.

전문의　맞아요. 이 환자는 몇 개월, 몇 년에 걸쳐 $PaCO_2$ 증가에 대해 점점 HCO_3^-를 모아서 천천히 보상효과를 봐 왔던 거예요. 그런데 지금은 일시적인 인공호흡기 적용 때문에 $PaCO_2$는 정상화되고, 쌓여 있던 HCO_3^-는 배출되고 있는 것이죠.

수련의　아, 대사성 보상이 제로가 되어버렸다는 말씀인가요?

전문의　그렇죠. 그러니까 지금까지와 같은 높은 $PaCO_2$는 허용할 수 없는 상태가 되어버린 셈이죠.

간호사　그럼 어떻게 해야 하나요?

수련의 또 시간을 들여 HCO_3^- 를 모을 수밖에 없는 건가요?
pH를 보면서, 다시 $PaCO_2$를 점차 올려주면 어떻게든 될 것 같은데요.

전문의 하지만, 이런 상황에서 인공호흡기 적용이 장기화된다면, 인공호흡기에서 이
탈할 수 있을까요?

간호사 …….

수련의 …….

전문의 그래서 만성 II형 호흡부전 환자의 인공호흡을 관리할 경우에는 이탈 단계도
생각하여 인공호흡관리 시작 직후부터 $PaCO_2$를 높게 유지하는 것이 중요해요.

수련의 할 수 있다고 해서, 해도 될지 어떨지는 별개의 문제라는 것이군요.

전문의 그 외의 주의점도 살펴볼까요? 대사성 산증 환자의 인공호흡관리는 종종 하
게 될 수 있으므로 부디 조심해야 해요. 특히, 쇼크 환자에게 시행하는 기관
내삽관은 조심해야 합니다. 기관내삽관 시에 호흡성 보상이 없어지고 산혈증
이 진행되어 급변하는 등은 자주 있는 패턴이니까요. 삽관하지 말았어야 했다
는 경우가 될 수도 있어요. 쇼크 환자 같은 대사성 산증 환자에게 기관내삽관을

할 때는 삽관을 위한 진정제 투여 때부터 제대로 환기 시켜줄 필요가 있어요. 요즘은 급하게 기관내삽관을 하지 않고, 전신 상태를 조금 안정시킨 후 기관내 삽관하기를 권하고 있어요.

수련의 조금이라도 수액을 투여해서 혈압을 올리고 난 이후가 진정제도 안전하게 사용할 수 있을 테니까요.

전문의 그렇죠. 기관내삽관 시 CO_2가 조금 축적되어도 견딜 수 있을 것 같죠? 지금 설명한 대사성 산증도 그렇고, 대사성 알칼리증 경우도 그렇지만, 인공호흡관리란 환자로부터 생리적인(태어날 때부터 가지고 있던) 호흡성 보상기능을 빼앗는 행위라고도 할 수 있어요. 그러므로 인공호흡을 관리하는 의료진은 이 호흡성 보상을 인공호흡관리로 만들어 줄 필요가 있는 거예요. 아무쪼록 정상 수치를 목표로 잘못된 대처를 하지 않도록 조심합니다.

간호사 아, 생리적인 보상기능을 대신 해준다는 말씀이군요. 이것은 대사성 이상(산증, 알칼리증) 특유의 것을 가리키는 건가요?

전문의 네, 기본적으로는요.

수련의 호흡성 이상일 경우, 인공호흡을 할 수 있다면 근본적 원인인 $PaCO_2$를 교정하면 되겠군요.

전문의 그리고, 아…… 환기에서 주의할 점은 혈액가스 등과 관계없이, 치료적 목적으로 일부러 $PaCO_2$를 올렸다 내렸다 하는 경우랄까요. 조금 전 강의에서 언급한 두개내압이 증가하는 경우라든지.

간호사 또 어떤 경우가 있습니까?

전문의 중증 호흡부전? ARDS(급성호흡곤란증후군)에서는 사망률을 낮추기 위해 일부러 $PaCO_2$를 모아서 관리하는 경우가 있습니다. 이를 환기량 제한이나 고원압(plateau pressure) 관리라고 해요. 중증 천식발작 등에서도 auto-PEEP에 의한 쇼크를 막기 위해 굳이 호흡수와 일회호흡량을 줄여서 $PaCO_2$를 축적해

관리하는 경우도 있어요. 자세한 것은 전작 『세상에서 가장 유쾌한 인공호흡관리』를 참고해 주세요.

수련의 또 그 밖에는요?

간호사 아이 참, 수련의 선생님. 장난쳐도 이제 아무것도 안 나와요.

전문의 허허, 나머지는 중환자 전담 전문의의 특별 치료(선택 치료)로, 어떤 수단으로도 산소화를 유지할 수 없는 매우 중증인 상태에서는 적은 량의 산소로 효율적으로 관리하기 위해 굳이 산혈증을 허용하는 경우도 있습니다. 눈동냥으로 해서될 일은 아니지만요(→p. 104 column '위험할 것 같은데, 오른쪽으로 좀 이동해 주실래요?' 참조)!

---

session point

- $PaCO_2$의 최적 수치는 정상 수치가 아닌 경우가 많습니다. 정상화가 상태를 악화시키는 경우도 많습니다.
- 병력이나 혈액가스 결과, 상태 등을 포괄적으로 고려하여 판단할 필요가 있습니다.
- 특히 만성 II형 호흡부전, 쇼크 등의 대사성 산증, 이뇨제로 인한 대사성 알칼리증, 두개내압 증가 환자의 경우는 주의합니다.

호흡상수란 무엇인가?

영양소가 연소되어 에너지가 될 때, O_2를 사용하여 에너지와 CO_2가 생성됩니다. 호흡상수(RQ)란, 이 산소 소모와 CO_2 생성 부피의 비입니다. 호흡상수가 클수록 에너지 생성에 의한 CO_2 생성이 많다는 뜻입니다. 3대 영양소로 말하면, 포도당의 호흡상수는 1.0, 지질은 0.7, 단백질은 0.8이 됩니다. 즉, 포도당을 다량 포함한 영양은 CO_2 생성이 많고, CO_2 생성을 억제하고 싶으면 다량의 지질을 포함한 영양이 좋다는 뜻입니다.

환기 장애로 CO_2가 축적되고 있는 경우, 이론적으로는 세션 3 '환기를 평가하자'(→ p. 33~)에서 설명한 것처럼 호흡수와 일회호흡량을 조절하지만, 영양 메뉴를 조금 바꾸는 것도 도움이 된다는 것입니다. CO_2 생성을 억제하고 싶다면, 가능한 한 정맥영양을 자제하는 것으로 포도당의 비율을 낮출 수 있습니다. 호흡부전 환자의 경장영양은 이 점을 배려해서 포도당을 삼가하고 지질을 풍부하게 함유한 내용으로 구성되어 있습니다. 논리적이죠?

참고로 이 호흡상수, A-aDO$_2$ 공식에도 계수로 나옵니다(→ p. 31 column 'A-aDO2란 무엇인가?' 참조).

session

7

환기관리의 진수

81

이 책을 여기까지 읽으셨다면, 혈액가스를 ○○성 ○○증으로 분류할 수 있게 되었을 겁니다(라고 믿고 있습니다!). 이렇게 이해하기 쉬운 것이라면, 여기까지의 내용으로 지불한 가격 정도의 수확이 있었다고 생각하는 분들도 계실 것입니다. 아마 책으로도, "네, 읽을 수 있게 되었습니다! 합격!!"이라며 여기에서 끝내는 것이 이해도와 간단함으로 평판이 높아질 것이라고 생각합니다. 하지만 굳이 집필을 진행하겠습니다.

그 이유는 지금부터가 혈액가스의 가장 중요한 역할이기 때문입니다. 혈액가스 분류는 누구라도 할 수 있습니다. 중요한 것은 혈액가스로 환자의 몸에 무슨 일이 일어나고 있는가를 평가하여 적절한 대처를 하는 것입니다. 혈액가스란 올바른 평가와 대처를 위해 손발처럼 능숙하게 사용하기 위한 도구일 뿐입니다.

전문의 리키마루의 혈액가스 이야기 ❽

책이나 세미나에 따라서는 단계가 4개, 7개, 11개 등으로 다르지만, 어떤 방법으로든 읽을 수 있다면 괜찮습니다. 많은 단계를 밟으면 그만큼 경우에 대한 분류를 많이 할 수 있습니다.

특히 ○○성 ○○증, △△성 △△증, ㅁㅁ성 ㅁㅁ증이 혼합되어 있는 등의 복잡한 상황에서는 많은 단계를 밟음으로써 복합상태에 대한 파악이 가능해집니다.

그러나, 리키마루의 3단계법에서는 굳이 지나치게 단순할 정도의 판독법을 취하고 있습니다. 이는 복잡한 복합상태를 해석하는 것보다 임상현장에서 쉽게 사용할 수 있도록 주 병리적 상태를 명확히 하여 우선적으로 해야 할 일을 분명하게 하기 위함입니다.

3단계법에서는 단계 2까지 거쳐 주 병리적 상태를 알 수 있으며, 단계 3에서 혼합상태를 알 수 있지만, 우선 해야 할 것은 주 병리적 상태에 대한 적절한 대처입니다.

우리는 임상현장에서 혈액가스로 이상 상태를 찾아내고 주 병리적 상태에 대한 대처를 하지만, 평가는 이 1회로 끝나는 것이 아닙니다. 개선 상태에 대한 확인과 재평가를 그 후에도 반복하게 됩니다. 혹시 복잡한 혼합상태일지라도 주 병리적 상태가 개선된다면, 혈액가스에서는 제2의 이상 상태가 밝혀질 것입니다. 제2의 이상 상태가 개선되면 또 제3의 이상 상태가 드러날 것입니다. 물론, 제2·제3의 이상 상태보다 제1의 이상 상태인 주 병리적 상태에 대한 대처가 중요하고, 우선순위도 높습니다.

이렇게 '**평가 ⇒ 개입 ⇒ 재평가**'라는 대처를 해 나가는데, ○○성 ○○증으로 분류한 후에는 표 1(다음 페이지)을 확인하여 해당 환자가 어떤 상태에 해당되는가를 평가해야 합니다. 이 표는 외울 필요는 없다고 생각합니다. 가능하면 평소 가지고 다니는 메모장에 붙여 분류할 때마다 살펴보면 될 것 같습니다.

여기에서 주의할 점은 분류에 의해 원인 감별 리스트가 작성되면, 혈액가스에만 의존하지 말고 넓은 시야에서 평가를 진행하라는 것입니다. 활력징후, 병

력, 환자의 호소, 신체징후, 혈액검사, 영상검사, **온갖 정보망을 이용해서 원인을 찾도록 합니다.**

"어, 그렇게 많이 볼 수 없어요. 영상도 서투르고"라는 의견도 있을 수 있지만, 시야를 넓힘으로써 용이하게 징후를 파악할 수 있게 됩니다. 활력징후만으로 패혈증의 원인을 파악하기는 어렵고, 영상검사로 카테터 감염증을 찾아낼수는 없습니다. 수술 후 수술 부위 문제는 국소 신체징후로 가장 알기 쉽다는 것은 말할 필요도 없습니다.

기본적으로 혈액가스를 읽고 분류하여, 표 1을 참고로 그 원인을 찾습니다. 원인에 대한 대처를 하고, 그 동안 적절하게 환기를 하게 하는 것이 중요합니다(그림 1).

표 1 ● 4분할 각각의 원인

대사성 산증	AG이 정상	HCO_3^- 소실(소화관, 신장으로부터), 생리식염수의 대량 투여, 케토산증으로부터의 회복기, 비경구영양
	AG이 증가	산 생성의 증가(쇼크 등으로 인한 젖산산증, 당뇨병성·알코올성 케토산증, 요독증), 산 배설의 감소(신부전), 중독(살리실산, 에틸렌글리콜, 에탄올, 이소니아지드 등)
대사성 알칼리증		구토, 위액 흡인[위관에 의한 의인성(iatrogenic) 등], 저칼륨혈증, 중탄산염 투여, 이뇨제, 광물 코르티코이드 과잉, 고이산화탄소혈증후, 기타(낭포성 섬유종, 고알도스테론증, 바터증후군, 이온교환 수지, 감초, 알칼리 주입, 밀크알칼리증후군, 혈액제재 대량 투여, 고칼슘혈증, 다량의 페니실린 투여 등)
호흡성 산증		기도폐색, 호흡근의 기능저하(흉부·폐질환, 신경근 질환, 호흡근 피로), 두개내 병변에 의한 호흡조절 장애, 부적절한 기계 환기, 약제성(진정제, 마약성 진통제, 신경근차단제 등)
호흡성 알칼리증		중추성 호흡자극(발열, 통증, 호흡통증, 불안 초조·섬망, 두부외상 등), 말초호흡자극(폐색전증, 폐렴, 무기폐 등), 간부전, 패혈증, 부적절한 기계환기(의인성)

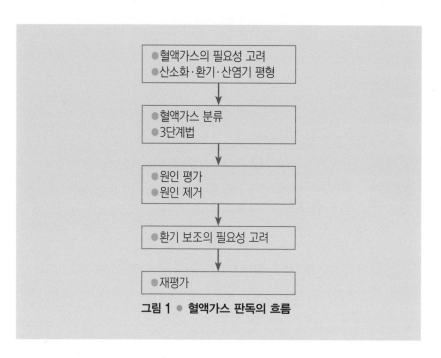

그림 1 ● 혈액가스 판독의 흐름

간호사 분류하는 것만으로는 확실히 의미가 없군요.

수련의 자기만족 말고는 아무것도 아니군요.

간호사 창피스러울 뻔 했어요. 사람들에게 읽을 수 있다고 자랑할 뻔 했어요.

수련의 이 원인 표는 외우는 것이 좋겠지요?

전문의 임상에서 자주 접하는 내용이나 접할 가능성이 있는 것들은 외워두는 것이 낫 겠죠?

간호사 하지만 그때마다 찾아보면 되죠. 간과할 수 있는 경우를 피하자는 의미에서 도 그 편이 낫겠죠?

수련의 에, 근데 멋있어 보이지 않잖아요.

간호사 멋 같은 건 따지지 말고, 질 높은 것이 좋지 않을까요? 선생님이 의식하고 있 는 만큼 아무도 관심 없거든요.

수련의	이미 알고 있어요…….
간호사	(작은 소리) 저 말고는요.
수련의	네?
간호사	아녜요, 아무것도 아닙니다. 리키마루 선생님, 대사성 산증에서 AG는 무엇인가요?
수련의	음이온 차이이예요. $Na+-(Cl-+HCO_3^-)$를 계산한 것, 그렇죠?
전문의	그렇습니다. 음이온 차이가 증가하고 있는 경우, 어떤 음이온(양이온)이 증가하고 있다고 생각해서 음이온이 증가하는 패턴으로 좁힐 수 있어요(→ p. 92 column '음이온 차이' 참조).
수련의	케톤체나 젖산 같은 거죠? 신부전일 때 비휘발성 산도 들어가요.
간호사	간단한 계산만으로 원인이 좁혀진다면, 그 정도의 계산으로 괜찮을까 걱정되는군요.
전문의	생리학을 전공한 사람도 잘 모를 만큼 광적이고 별로 도움도 되지 않는 계산식부터 편리하게 일상적으로 잘 사용하면 좋은 것까지 계산식에도 여러 가지가 있으니까요.
수련의	AG는 알아 두면 손해 없는, 랭킹 상위의 계산식이겠죠.
간호사	대단하세요.
전문의	그런데 대사성 산증이라면 $PaCO_2$는 어떻게 된다고 했죠?
간호사	감소됩니다!
전문의	맞아요. 그럼, $PaCO_2$가 감소되고 있는 사람의 호흡수는 어떨 것 같아요?
간호사	증가하고 있다고 생각합니다. 빈호흡으로.
전문의	오, 맞아요! 하지만 모든 환자에서 혈액가스를 볼 수 있는 것은 아녜요. 빈호흡일 때는 $PaCO_2$가 감소하는 것 같고 대사성 산증일지도 모른다고 예측할 필요가 있습니다.

혈액가스를 볼 수 있는 상황에서는 누구나 비정상을 추측할 수 있어요. 중요한 것은 혈액가스를 볼 수 없는 상황에서 어떤 방법으로 혈액가스 지식을 활용할까라는 점이에요.

간호사 앞의 표에서 미리 짚어두고 가야 할 포인트는 없나요?

전문의 음, 간호사라면 과환기로 $PaCO_2$가 감소되는 데 따른 호흡성 알칼리증을 미리 확인했으면 하는 것이 포인트예요.

간호사 아, 과환기 경우라면 몇 번 본 적 있습니다. 말을 걸어 안정시키고 얘기를 들어주었더니 정상으로 회복되었습니다.

전문의 그 밖에도 통증으로 인한 것, 불안에 기인한 것, 약제성, 한랭으로 인한 것, 발열이나 감염증, 패혈증으로 인한 것 등 다양한 상황이 과환기증후군의 원인이 됩니다.

간호사 물론 잘 들어주는 것 이외에도 보온이나 쿨링, 또는 원인을 찾기 위해 신체검진을 하는 등 간호사로서 할 수 있는 일이 많을 것 같아요.

전문의 호흡성 알칼리증에서 $PaCO_2$는 어떻게 됩니까?

87

간호사　감소됩니다!

전문의　자, 호흡수는?

간호사　증가합니다!!

전문의　그렇죠.? 하지만, 모든 환자에게서 혈액가스를 볼 수 있는 건 아닙니다. 빈호흡일 때는 $PaCO_2$가 감소할 것 같고, 호흡성 알칼리증일지도 모른다고 예측할 필요가 있습니다. 혈액가스를 볼 수 있는 상황에서는 누구나 비정상을 추측할 수 있어요. 중요한 것은 혈액가스를 볼 수 없는 상황에서 어떤 방법으로 혈액가스 지식을 활용할까라는 것입니다.

수련의　어디선가 들은 듯한⋯⋯?

간호사　빈호흡이라면, 대사성 산증과 호흡성 알칼리증 가능성에 대해 생각하라는 말씀인가요?

전문의　옳거니! 평상 시 흔히 확인하는 활력징후로 거기까지 추측할 수 있다면 아주 훌륭해요. pH나 HCO_3^-, $PaCO_2$는 밖에서 간파할 수 없어요. 하지만 호흡수라는 형태로 간접적으로 알 수 있죠. 때문에 호흡수는 굉장히 중요해요.

간호사　조금 전 그림에 환기 보조라고 쓰여 있던데, 구체적으로 어떻게 해야 하나요?

수련의　환자가 호흡하는 걸 응원하는 것 아닐까요? "○○님, 힘내서 숨 쉬세요~" 같은 것 말이에요.

간호사　그럼 응원하는 동안에는 괜찮아도 떠나면 금방 나빠질텐데 응원을 계속 할 수는 없잖아요.

수련의　응원의 힘은 위대해서⋯⋯.

간호사　리키마루 선생님, 못된 장난만 치는 사람은 내버려 두고 계속 이야기하시죠. 환기보조는 NPPV나 기관내삽관 같은 인공호흡관리가 괜찮은 건가요?

전문의　그렇죠. NPPV나 기관내삽관을 반드시 해야 할지 아닐지를 떠나서 적어도 그 필요성을 평가할 필요가 있어요.

CO_2가 축적되면, 인공호흡을 하면 된다는 뜻은 아니죠? 헷갈릴 것 같은데, 하나씩 생각해 봐도 될까요(표 2)?

표 2 ● 4분할에 대한 환기 보조와 주의할 점

	원인	환기 보조	주의점
호흡성 산증	CO_2가 축적되어 산증이 되었다.	CO_2는 감소되어 OK (인공호흡 중이라면)	인공호흡의 필요성을 평가한다. CO_2 조절은 pH를 보면서 진행한다(알칼리 혈증으로 만들지 않는다).
호흡성 알칼리증	CO_2가 감소되어 알칼리증이 되었다.	CO_2가 축적되면 OK (인공호흡 중이라면)	인공호흡으로 조절할 경우에는 완전한 진정이 필요하다. 대부분 원인 제거가 우선시된다.
대사성 산증	대사 이상으로 인해 HCO_3^-가 감소되어 산증이 되었다. 보상체계로서 CO_2는 감소한다.	보상체계 때문에 CO_2는 감소된다. $PaCO_2$가 제대로 낮게 유지되고 있는지 확인한다.	상태가 개선되면 CO_2는 증가(=정상화)된다. 다만, 보상체계가 실패한 경우에도 CO_2는 증가한다.
대사성 알칼리증	대사 이상으로 인해 HCO_3^-가 증가하여 알칼리증이 되었다. 보상체계로서 CO_2는 축적된다.	보상체계 때문에 CO_2는 높은 편이라면 OK	CO_2가 축적되고 있다고 해서 안이하게 CO_2를 감소시키면 pH는 보통 악화된다.

전문의 이 중에서 CO_2가 증가하고 있는 병리적 상태는 무엇일까요?

간호사 호흡성 산증과 대사성 알칼리증입니다.

전문의 그럼 그 중에서 CO_2를 낮춰도 되는 것은?

간호사 호흡성 산증입니다. 대사성 알칼리증은 보상체계로써 환자가 일부러 CO_2를 모아주고 있는 상태니까요.

수련의 오, 알고 있었죠.

전문의 훌륭하군요, 수련의 선생. 그럼 대사성 산증의 호흡관리는 어떻게 하면 좋을 까요?

수련의 심화 문제군요. 대사성 산증 환자에게 인공호흡이 필요한가요? 왜냐면 제대 로 환기가 되고 있기 때문에 CO_2는 낮잖아요?

전문의 그런 것이 제대로 달성되고 있는지 평가하는 것이 중요합니다. 대사성 산증의 대표적인 병리적 상태로는 쇼크나 신부전 등을 들 수 있어요. 모두 급격하게 변 하기 쉬운 상태들이죠.

간호사 급격하게 변하는 것이라면 뇌졸중, 심근경색, 쇼크 같은 것이군요. 저도 몇 번 인가 씁쓸한 경험이 있습니다……

전문의 그렇죠. 이런 환자들은 호흡의 보상체계인 CO_2 감소로 뭔가, 생체로서의 균형 을 유지하고 있는 상황이에요(=pH를 유지). 이들 환자의 CO_2가 축적되고 있으 면 호흡으로 인한 보상이 실패해서 머지않아 급격한 변화를 맞이할 징후예요. 만약 이런 환자의 CO_2가 축적되었을 경우……

수련의 인공호흡을 시작해야 한다는 거군요!

간호사 근데 선생님. 쇼크나 신부전으로 인한 대사성 산증이 좋아졌을 때도 $PaCO_2$ 가 증가할텐데, 이 경우와는 어떻게 구분합니까?

전문의 그 경우는 pH가 정상 수치에 가까워질 거예요. 한편, 호흡성 보상체계가 실 패한다면……

간호사 산혈증이 진행됩니다.

전문의 맞았어요! 악화된 이 병리적 상태를 혼합성 산증이라고 합니다. 혼합성 산증은, 3단계법이라면 단계 2에서 호흡성 산증으로 의심되며, 단계 3에서 HCO_3^-에 모순이 있기 때문에 혼합성이라는 것을 알 수 있어요. 곧 급격한 변화가 일어날 것 같은 이 상황에서 우선 해야 할 것은 '적절한 인공호흡 보조'예요. 즉, 응급 ABCs인 '기도·호흡' 평가와 중재라는 것입니다. 설령, 쇼크 환자에 대한 수액이나 승압제, 신부전 투석 등 '대사'에 대한 보조가 필요했다 하더라도, 결코 '기도·호흡' 보다 우선해야 할 일은 아닙니다. 혼합성 산증 환자더라도 단계 2에서 호흡성 산증이 있음을 알아차리고, 일단 BVM 환기 준비나 인공호흡기를 준비한다는 이런 기본적 대처를 할 수 있으려면 단계 2에서 호흡성인지 아닌지를 평가해야 합니다.

- 혈액가스를 ○○성 ○○증으로 분류하면 그 다음 각각의 원인 일람에서 해당 사항을 찾자! 원인 제거가 중요!!
- 호흡성 산증에서는 CO_2를 낮춰도 됩니다. 대사성 산증에서는 제대로 CO_2가 감소되고 있는 것을 확인합시다. 대사성 알칼리증의 CO_2 증가는 기본적으로 용인하는 것이 원칙입니다.
- 호흡수로 산염기 평형 이상을 추측할 수 있도록 합니다. 특히 대사성 산증과 호흡성 알칼리증에 의한 빈호흡이 중요합니다.

음이온 차이 column

수많은 계산식 중 가장 유명한 '음이온 차이(AG)'. 수식이나 번거로운 것은 피하자는 입장이지만, 뭐 이 정도는 알아 두는 것이 좋을 것 같다는 생각입니다. 계산식은 다음과 같습니다.

$$AG = Na + - (Cl - + HCO_3{}^-)$$

어렵게 설명하자면, 통상 측정되지 않는 양이온(cation)의 총량과 통상 측정되지 않는 음이온(anion) 총량의 차이가 운운⋯⋯인데(알고 싶은 분은 인터넷으로 일본 응급의학회의 「의학용어 해설집」을 읽어보십시오), 간단히 설명하면 '대사성 산증일 때 음이온 차이를 계산하면, 그 원인이 좁혀 진다'라는 것입니다.

정상 수치는 12±2이지만, 증가하고 있는 경우에는 일종의 불휘발성 산(젖산, 케톤체, 요독소 등)이 증가하고 있음을 의미하며, 당뇨병성 케토산증, 알코올성 케토산증, 젖산 산증, 신부전, 살리실산 중독 등이 의심된다는 의미입니다. 혈액가스 검사기계에 따라서는 자동으로 계산되는 경우도 있습니다.

염기과잉(Base Excess)　　　　　column

　임상에서 염기과잉(BE)을 매우 중요시하는 분들이 계시다는 것을 충분히 이해하기 때문에 굳이 말씀드리겠습니다. BE는 초심자에게는 불필요합니다. 다소 지나친 표현일 수도 있다는 약간의 후회를 하며, 설명을 이어가겠습니다. BE란 약간의 조건은 붙지만, HCO_3^-가 정상 수치로부터 어느 정도 벗어나 있는지를 나타낸 것입니다. HCO_3^-가 20 mmol/L라면 BE는 −4, HCO_3^-가 28 mmol/L라면 BE는 +4가 됩니다. BE는 신장에서 HCO_3^-를 모으면 플러스가, 배설하면 마이너스가 됩니다.

　흔히 'BE가 마이너스라면 대사성 산증'으로 오해하지만, 큰 실수입니다. BE는 대사성 이상이든 호흡성 이상이든 변동이 있습니다. 대사성 이상일 경우에는 간단합니다. 대사성 산증에서는 마이너스가 되고, 대사성 알칼리증에서는 플러스가 됩니다. 주의할 점은 호흡성 이상 상태일 때입니다. 호흡성 산증을 생각해 보겠습니다.　호흡성 산증에서는 $PaCO_2$가 축적되고, 보상으로 HCO_3^-는 증가합니다. 그때문에 신장에서의 HCO_3^- 재흡수 촉진 결과로, BE는 플러스가 됩니다. 호흡성 알칼리증에서는 반대이므로, BE는 마이너스가 됩니다. 주의해야 할 것은 호흡성 산증, 호흡성 알칼리증이 되면 비교적 신속하게 HCO_3^-는 변하지만(→p. 69 column '완충계에 대해서' 참조), 신장에서의 보상체계는 며칠~1주일에 걸쳐 천천히 배설되거나 축적됩니다. 따라서 호흡성 변화가 일어난 직후 HCO_3^-는 변하지만, BE는 변하지 않는다는 특징이 있습니다. 즉, BE가 변하고 있으면, 호흡성 이상 상태는 적어도 수일은 경과한 것이라고 판단할 수 있는 것입니다. BE를 규명하려면 꽤 고도의 지식이 필요하게 되므로, BE에 대해서는 결론만 확인해 두기로 하겠습니다.

　"대사성 산증에서 BE는 마이너스, 대사성 알칼리증에서 BE는 플러스가 된다. 호흡성 산증에서 BE는 플러스, 호흡성 알칼리증에서는 마이너스가 된다. 다만, 호흡성 이상일 경우의 BE는 며칠이 지나야 변한다."

　BE로 ○○성 ○○증이라고 판별하려 하면 실수하게 됩니다. 판별은 3단계법으로 실시합니다.

산소포화도의 이것저것

이 세션에서는 '산소포화도'에 대한 이해를 높여보겠습니다. 임상현장에서 '산소포화도'라고 하면, SpO_2 (경피적 산소포화도)를 가리키는 것이 대부분이며, 그 외에도 SaO_2 (동맥혈 산소포화도), $S\bar{v}O_2$ (혼합정맥혈 산소포화도), $ScvO_2$ (중심정맥혈 산소포화도) 등의 '산소포화도'가 알려져 있습니다. 이들 산소포화도를 이해함으로써 호흡이나 산소대사에 대한 이해가 깊어집니다. 그다지 어려운 내용이 아니니 아무쪼록 도움이 되기를 바랍니다.

전문의 리키마루의 혈액가스 이야기 ❾

산소포화도는 산소포화도라고 한 이상 무언가에 산소가 포화되어 있는 것입니다. ……맞습니다. **적혈구의 헤모글로빈이 산소로 포화되어 있는 정도**를 나타냅니다. 산소포화도 95%라는 것은 적혈구의 95%가 산소로 포화되어 있는 상태입니다.

평소 모니터링으로 많이 사용되는 SpO_2는 동맥혈의 산소포화도 SaO_2와 밀접한 연관이 있는 것으로 알려져 동맥혈의 산소화를 나타냅니다. 산소화된 혈액은 말초조직으로 전달되어 말초조직에서 내호흡이 이루어집니다(산소가 사용되고, 이산화탄소가 배출된다). 그 후, 정맥혈로서 심장으로 되돌아와 다시 폐에서 가스교환(외호흡)이 이루어집니다. 당연히 말초조직에서 산소가 사용되기 때문에 정맥혈의 산소포화도는 동맥혈보다 낮아집니다. 이 정맥혈의 산소포화도가 $S\bar{v}$나, $ScvO_2$입니다. $S\bar{v}O_2$는 Swan-Ganz 카테터로, $ScvO_2$는 중심정맥 카테터로 측정합니다.

사실, 지금까지 다양한 의료기기가 개발되어 왔지만, 현재까지도 말초조직이 얼마나 산소를 사용하고 있는지 알 수 있는 방법은 없습니다.

그래서 **내보내는(송출) 쪽의 산소포화도(SaO_2, SpO_2)와 되돌아오는(반환) 쪽의 산소포화도($S\bar{v}O_2$, $ScvO_2$)를 확인하여 그 차이를 보고 말초조직에서 사용된 산소의 소모량을 추측하고 있습니다.** 특히, 산소 공급이 충분하지 않은 상태인 쇼크에서는 되돌아오는 쪽의 산소포화도가 현저하게 떨어져 있습니다. $ScvO_2$ 측정은 중증 패혈증·패혈증성 쇼크의 세계적 가이드라인에서도 권장하고 있습니다. 이 산소공급과 수요의 균형을 가리켜 '산소 평형'이라고 부릅니다.

수련의 산소포화도라고 하면, 주역은 역시 간호사죠. 늘 임상에서 보고 있으니까.

간호사 산소포화도만 보고 있으면 호흡은 왠지 괜찮은 것 같은데, 그건 아까까지의 얘기예요. 지금은 환기도 제대로 보지 않으면 안 된다고, 속으로 생각하고 있답니다!

수련의 의사도 마찬가지예요. 환기를 제대로 보는 사람이 거의 없는 걸요.

간호사 산소포화도는 SpO_2 밖에 몰랐습니다.

수련의 저는 Swan-Ganz · 카테터의 $S\bar{v}O_2$를 들어본 적은 있는데, 최근에는 거의 본 적이 없어요. 학창시절 병원 실습에서 본 것 같긴 한데, 의사가 되고 나서 실제로 본 적이 없습니다.

전문의 물론 최근에는 Swan-Ganz 카테터를 볼 수 있는 기회가 거의 없어요. 근거로도 약간 부정적인 결과가 이어져서, 최근에는 거의 사용되지 않고 있어요. 하지만 심기능이 저하된 환자에게 패혈성 쇼크가 발생했을 때, 내보내도 괜찮을지

(이뇨), 넣어도 좋을지(수액), 좁히는 것이 좋을지(혈관수축제), 심장을 두드리는 편이 좋을지(강심제)를 판단하는 것이 몹시 망설여지는 상황이 있어요. 이럴 때는 지금도 Swan-Ganz 카테터가 필요하다는 의견도 있어요.

수련의   심장성 쇼크의 포레스터(forrester) 분류군요! 시험 준비할 때 외웠던 기억이 있어요!

간호사   그럼 지금은 외우고 있지 않다는 것이네요, 선생님……

수련의   괜찮아요. 항상 갖고 다니는 수첩에 적어 놨으니까요.

전문의   혈액가스도 그렇지만, 개념이나 방식을 습득하는 것이 중요하죠. 가지고 다니며 매번 확인하면 되는 것은 억지로 외우지 않아도 괜찮지 않을까요? 아마 억지로 외워야 할 내용이라면, 외워도 조금만 오래 사용하지 않으면 금방 잊어버릴테니까요.

간호사 Swan-Ganz 카테터는 폐동맥에 유치하는 카테터를 말하는 것이군요. 그런데 무엇을 볼 수 있나요?

수련의 폐동맥 카테터니까 폐동맥압, 폐동맥 쐐기압, 다음은 $S\bar{v}O_2$인가. 말초혈관 저항도 측정할 수 있었나요?

전문의 그렇죠. Swan-Ganz 카테터가 아니면 측정할 수 없는 항목은 수련의 선생이 말한 항목이에요. 말초혈관 저항은 일반 동맥관의 동맥압 파형 해석으로도 측정할 수 있어요.

간호사 $S\bar{v}O_2$는 말초조직에서 산소가 소모된 혈액이 심장으로 돌아온 최종 지점의 산소포화도라고 하면 되는 건가요?

전문의 맞아요! 그러니까 SpO_2와 $S\bar{v}O_2$를 모니터링 하면, 그 차이가 말초에서 소모된 산소라는 것이 되는 거죠. 쇼크라면 말초조직에 산소가 부족한 상태이므로, 내보내는 쪽의 SpO_2는 변하지 않지만 돌아오는 쪽의 $S\bar{v}O_2$가 저하**됩니다.**

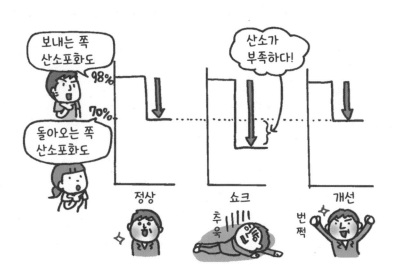

간호사 흐흠. 쇼크는 혈압을 보면 알 것 같긴 한데요……

전문의 그렇게 오해하기 쉽지만, 쇼크란 혈압이 내려가는 것이 아네요. 물론, 혈압이 내려가면 틀림없이 쇼크지만, 그 이전 상태에서도 쇼크인 경우는 많아요. 수련의 선생, 쇼크란 무엇이었죠?

수련의 쇼크란 말초조직에 필요한 산소가 충분히 공급되고 있지 않다는 것입니다!

전문의 예를 들면, 조금만 탈수되어도 목이 마를 정도인 탈수 환자가 있다고 합시다. 이때도 말초조직은 평소보다 더 많은 산소를 원해요. 하지만 이 단계에서는 빈맥이나 빈호흡으로 필요한 양의 산소를 공급해주고 있기 때문에 쇼크라고 부르지 않습니다.

간호사 빈맥이 되면 그만큼 심박출량이 증가하여 전달되는 산소량도 늘릴 수 있는 거군요!

수련의 또한 탈수가 진행되어 산소를 충분히 공급할 수 없게 된 단계가 되면 쇼크라는 것이군요.

전문의 말씀대로예요. 하지만 그 단계에서도 혈압은 유지되고 있어요. 쇼크로 혈압이 저하되는 것을 순환장애의 마지막 모습이라고도 해요. 이것을 저혈압성 쇼크라고 합니다. 그리고 혈압이 떨어지기 전 단계는 보상성 쇼크(compensated shock)라고 해요.

수련의 그렇다면 보상성 쇼크 시기가 길다는 뜻입니까?

전문의 그래요. 무슨 일이든 조기 발견, 조기 치료하는 것이 좋겠지요? 그러니까, 저혈압성 쇼크가 발생하기 전에 보상성 쇼크 단계에서 찾자는 것입니다.

수련의 SvO_2를 모니터링하고 있으면, 혈압이 떨어지기 전의 보상성 쇼크를 간파할 수 있다는 것이군요. 하지만, 혈압도 내려가지 않은 쇼크 환자에게 Swan-Ganz 카테터를 넣는 건 좀 지나치다는 생각이 드는데요.

산소포화도의 이것저것

간호사 음 정말요. 아까 리키마루 선생님도 근거는 별로라고 말씀하셨어요.

수련의 아, 알았다. 그러니까 $ScvO_2$군요.

전문의 맞습니다. 중심정맥이라면 좀 더 덜 침습적으로 삽입할 수 있겠죠. 중심정맥 카테터 끝의 산소포화도가 $ScvO_2$예요. 폐동맥 산소포화도에 비하면, 정맥혈 이 충분히 섞이지 않은 상황이지만, 쇼크 치료에는 제대로 사용할 수 있는 걸로 알려져 있어요.

수련의 중심정맥 카테터 끝이라면, 카테터의 끝이 위치에 따라 차이가 있을 것 같아 요.

전문의 그렇습니다. 이 오차에 대해서도 연구하고 있는데, 통상의 $S\bar{v}O_2$는 65% 이 상이고, $ScvO_2$는 그보다 2~3% 낮아요. 하지만, 쇼크 상태나 저관류 상태라면, $ScvO_2$는 $S\bar{v}O_2$ 보다 5~7% 높아지는 것으로 알려져 있어요.

수련의   그렇다는 건 쇼크로 $ScvO_2$가 내려가고 있으면 $S\bar{v}O_2$는 더 내려가고 있을 가능성이 높다는 것이군요. 그래서 쇼크 치료에 $ScvO_2$를 활용할 수 있다는 것이고요.

전문의   대단해요!

간호사   구체적으로는 어떻게 사용하는 건가요? 측정 시기라든지, 어떻게 치료에 활용한다든지.

수련의   그거라면 조금 알고 있습니다! 분명히 플로차트(흐름도) 같은 게 있었어요. EGDT였던가?

전문의   역시. Early Goal Directed Therapy (조기목표지향치료), 줄여서 EGDT입니다. 원래 중증 패혈증이나 패혈성 쇼크 환자에 대한 소생 치료로 알려진 것이지만, 최근에는 쇼크 전반의 관리 개념으로 사용할 수 있다고 해요. 쇼크 환자에 대해서는 우선 수액을 투여해요. 수액으로 혈액량이 유지되었음에도 불구하고 혈압이 낮은 것 같으면 혈관수축제를 투여하고, 혈압이 상승했음에도 쇼크 상태가 지속되면 수혈이나 강심제를 사용한다는 흐름입니다(그림 2).

간호사   왠지 맞는 것 같아요.

수련의   'early' 하니까, 이걸 신속하게 실시하는 것 같았죠?

전문의   음. 일련의 이 흐름을 쇼크 인식 후 6시간 이내에 실시하자는 것입니다. 우선 수액 주입, 그 다음 혈관수축제, 마지막으로 필요하면 수혈·강심제라는 일련의 흐름을 패키지 치료로 제공하게 됩니다.

간호사   6시간 이내라고 하면, 꽤 시간이 부족한 편인가요?

수련의   이거, 여느 때처럼 느긋해서는 절대 늦어요. 패혈증이니까 감염원도 특정해야 하고 배양도 해야 하고요. 중심정맥관 삽입하고, 필요하면 삽관, 동맥 라인······.

간호사   각각 동의서(informed consent)도 필요하고요.

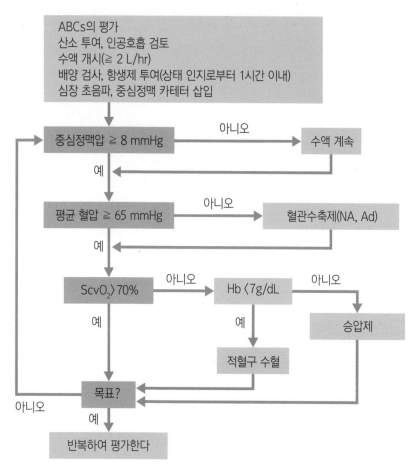

그림 2 ● EGDT Protocol

전문의   맞아요, 그래서 패키지 치료로 의료팀 전체에서 치료 방침을 파악하고, 한

마음으로 이 6시간을 극복해야 해요. 덧붙이면 항생제를 1시간 이내에 투여하

는 것도 중요하니까 사전에 파악해 두고요.

간호사   1시간이라니, 잘못하면 대기실에서 지나 버릴지도……

수련의   그렇죠?

전문의 뭐, 대충 개념만 기억해 둬요. 수액은 30 mL/kg를 2회 정도까지 반복한다든가, 혈관수축제는 아드레날린 혹은 노르아드레날린을 이용하고, 가능하면 도파민은 사용하지 않는 등의 여러 가지 소재는 있지만, 주제에서 벗어나니까 이 정도로 하죠.

간호사 맞아 맞아, 주제는 산소포화도였죠. 아, 이 플로차트를 보니까 3단계 부분에 $ScvO_2$라고 있군요!

수련의 오, 정말요. 혈압이 상승했는데도 $ScvO_2$가 낮아서 말초조직이 더 산소를 원하면, 쇼크 상태가 지속되고 있다고 생각하라는 것이네요.

간호사 그런 경우, 수혈이나 강심제⋯⋯. 수혈은 혈액에 포함된 헤모글로빈을 늘려 많은 산소를 전달할 수 있게 한다는 것이군요. 강심제는⋯⋯.

수련의 혈액 속에 포함된 산소량은 변하지 않지만, 심박출량을 늘려서 말초에 혈액을 더 전달함으로써, 전체적으로 산소를 더 보낸다는 것이네요!

간호사 아, 제가 말하려고 했는데!

전문의 이렇게 보면 뭔가 새로운 치료처럼 느낄지 모르겠지만, 치료와는 반대로 악화되어 가는 경우를 생각하면 이해하기 쉬워요. 쇼크의 경우, 혈압이 떨어지는 것은 쇼크의 마지막 모습이라는 얘기를 했죠?

간호사 즉, 쇼크의 경우 처음에는 혈압이 유지되지만, 이때 $ScvO_2$는 내려가고 있다, 악화되면 언젠가 혈압이 내려가서 저혈압성 쇼크가 된다는 것이죠.

전문의 오, 이해한 것 같군요. 혈압이 내려가지 않아도 쇼크일 가능성은 충분히 있을 수 있고, 그때 $ScvO_2$(를 측정할 수 있는 상황이라면)는 예민하게 반응해서 저하된다는 것이에요.

수련의 왠지 신이 나는데요. 빨리 $ScvO_2$를 보고 싶어요.

- 산소포화도는 SaO_2, SpO_2, $S\bar{v}O_2$, $ScvO_2$ 등 많이 있다.
- 혈액(산소)을 내보내는 쪽의 $SaO_2 \cdot SpO_2$와 전신으로부터 돌아오는 $S\bar{v}O_2 \cdot ScvO_2$를 보면, 말초조직에서의 산소 소모량을 알 수 있다.

위험할 것 같은데,
오른쪽으로 좀 이동해 주실래요?

column

사실 산소해리곡선은 오른쪽이나 왼쪽으로 이동합니다. 2,3-GDP 증가, 고체온, 산혈증, CO_2 증가가 있으면 오른쪽으로, 반대인 상태일 때는 왼쪽으로 이동합니다. 시험에도 자주 출제되는 문제인데, 특히 오른쪽으로의 이동이 갖는 의미에 대해서 이해해 두도록 합니다.

중증 환자는 산혈증, 고이산화탄소혈증이 되는 경우가 많은데, 이것에 따라 산소해리곡선은 오른쪽으로 이동합니다. 그림의 표준 산소해리곡선과 오른쪽으로 이동할 때를 비교해 봅시다.

동맥혈 PaO_2 100 mmHg, 정맥혈 PvO_2 40 mmHg일 때의 산소포화도를 비교해 보겠습니다.

표준 산소해리곡선에서 각각의 산소포화도는 약 98%, 75%로 나타납니다. 즉, 그 차이인 23%가 말초조직에서 소모된 산소라는 뜻입니다. 한편, 오른쪽 이동을 살펴보겠습니다.

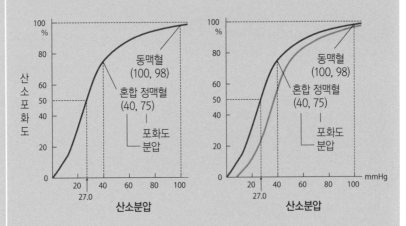

그림 ● 산소해리곡선의 오른쪽 이동

단순히 곡선을 오른쪽으로 비켜놓은 것뿐인 그림입니다. 오른쪽으로 약간 비켜졌기 때문에 산소포화도는 동맥혈에서 95%, 정맥혈(PvO_2 40 mmHg)에서 60%로 낮아지고 있습니다. 그 차이를 살펴보면 35%입니다. 약간 곡선이 오른쪽으로 이동했을 뿐인데, 말초조직에서의 산소 소모가 증가하고 있는 것을 알 수 있습니다. 즉, 말초에서 많은 산소를 소모할 수 있다는 것입니다.

오른쪽 이동에서 확실히 해둬야 할 포인트는 중증 상태에서는 산소해리곡선이 오른쪽으로 이동하여 말초에서 산소를 더 떼어내기 쉬워진다는 것입니다. 오른쪽 이동으로 적은 산소로 보다 효율적으로 살아갈 수 있게 된다는 것입니다. 사람의 몸이란 신기하죠.

P_{50} column

알아 둘 필요가 전혀 없는, 저자가 그저 단순히 지식을 과시하고 싶은 것에 불과한 항목입니다. 평판이 좋아서 시험 삼아 책을 읽어 보았지만, 전혀 얻은 지식이 없었다는 불만을 가질 사람이 없도록 아무도 모를 것 같은 항목을 선택해 보았습니다.

P_{50}은 산소포화도가 50%일 때의 PaO_2 값입니다. 산소해리곡선이 오른쪽 혹은 왼쪽으로 이동하고 있는지 아닌지를 판단할 때 이용합니다. P_{50}이 정상 수치인 27 mmHg 보다 증가하면 산소해리곡선이 오른쪽으로 이동하고 있음을 가리키며, P_{50}이 정상 수치에서 감소하면 산소해리곡선은 왼쪽으로 이동하고 있다는 것을 알 수 있습니다.

어때요? 그다지 필요 없는 지식이죠?

정맥혈 가스의 추천

이 세션에서는 정맥혈 가스 분석의 유용성에 대해 설명하겠습니다. '동맥혈을 채취하려 했는데 정맥혈이 되어 버렸다', '데이터는 괜찮을 것 같으니, 뭐 괜찮아'라는 소극적인 것이 아니라, 좀 더 적극적으로 '정맥혈 가스를 활용하자!'라는 것입니다.

혈액가스 검사 결과, 특히 산염기 평형은 항상성(homeostasis)을 알 수 있는 검사이며, 본래 일반적인 검사 외에 당연히 해야 할 항목입니다. 하지만 오는 사람마다 동맥혈을 채혈한 날에는 "저 병원에 가면 특별히 아픈 채혈을 한다"라는 악평이 퍼질 수도……

전문의 리키마루의 혈액가스 이야기 ⑩

혈액가스 검사는 기본적으로 동맥혈로 시행하는 검사입니다. 동맥혈로 검사하기 때문에 산소화, 환기, 산염기 평형 등 중요한 항목을 누구나 부담 없이 평가할 수 있습니다.

산소화는 PaO_2로 평가하고, 산소화에 대해서는 거의 모든 의료진이 대처할 수 있습니다. 물론 PaO_2가 낮으면 산소 투여 등을 실시합니다. 주의사항은 투여하는 산소농도에 주의하고, 필요하면 적극적으로 양압(PEEP)을 가한다는 것인데, 이는 전작 『세상에서 가장 유쾌한 인공호흡관리』에서 다루었습니다.

환기에 대해서는 $PaCO_2$로 평가합니다. $PaCO_2$는 호흡수와 일회호흡량으로 조절하지만, $PaCO_2$는 반드시 정상 수치를 기준으로 해서는 안 된다는 주의사항이 있었습니다.

산염기 평형에 대해서 지금까지는 다소 저항감이 있었을지 모르지만, 여기까지의 세션을 읽어 주신 분들이라면 대체로 친근감이 들지 않았을까 합니다. 여기까지의 흐름을 이해한 다음, 이 세션에서는 '정맥혈 가스의 유용성'에 대해 생각해 보고 싶습니다.

제 견해로는 정맥혈 가스가 보급되면 산염기 평형에 대한 이해가 깊어지고, 위중한 상태를 간과하지 않게 하거나 숨어 있는 이상 상태를 조기에 발견할 수 있게 될 것이라고 생각합니다. 물론, 정맥혈 가스로 어떤 이상을 인정했을 경우에는 동맥혈 가스로 재검토를 고려합니다. 유감스럽지만, 검사 결과의 '질'이라는 관점에서 정맥혈 가스가 동맥혈 가스보다 우수한 점은 거의 없지만, 간편성, 문턱이 낮다는 점에 있어서는 분명히 정맥혈 가스 쪽으로 손이 올라갑니다. 주의사항만 파악해 둔다면, 정맥혈 가스는 일상적인 임상의 질을 현격히 올려 줄 것입니다.

정맥혈 가스의 주의사항
- 산소화에 대한 평가는 불가능(SpO_2와 산소 투여 상태로 평가할 것!)
- 환기에 대한 간접 평가는 가능(일반적으로 $PvCO_2 > PaCO_2$)
- 산염기 평형 이상에 대한 추측은 충분히 가능

하나씩 설명해가도록 하겠습니다.

산소화는 SpO_2를 측정할 수 없는 특수한 경우를 제외하고, PaO_2로 평가하는 것은 불필요한 경우가 많습니다. SpO_2는 일상적으로 흔히 볼 수 있으므로, 산소 투여 상태와 함께 평가하면 충분한 산소화에 대한 평가가 가능합니다 (→p. 16~, 세션 2 '우선, 산소화를 평가하자' 참조).

특히, 동맥혈 가스에 의한 PaO_2가 한시적인 평가인 것에 비해 SpO_2는 지속적으로 모니터링할 수 있습니다. 그러므로 PaO_2에 의지하지 않고 SpO_2의 평가로 충분할 것 같습니다.

　환기의 경우, 일반적으로 PvCO2는 PaCO2보다 높다는 특징이 있습니다. 이 특징을 파악해 두면, 정맥혈 가스에서의 높은 이산화탄소를 배제할 수 있습니다. 정맥혈 가스에서 $PvCO_2$가 45 mmHg였다면 $PaCO_2$는 그 이하이고, 즉 CO_2 증가는 없을 것 같다고 할 수 있습니다.

　물론 $PaCO_2$ 증가가 강하게 의심될 경우에는 처음부터 동맥혈 가스를 이용한 평가가 유용한 것은 말할 필요도 없습니다. 왠지 정맥혈을 이용한 환기 평가가 국한적이고 유용성이 낮은 것처럼 느껴질 수도 있지만, 이 고이산화탄소혈증을 배제할 수 있다는 점이, 실은 임상에서는 매우 중요한 열쇠가 됩니다.

　환기의 이상은 CO_2가 높은 경우와 낮은 경우가 있는데, 임상에서 특히 중요한 것은 'CO_2가 높은 경우, CO_2를 낮추기 위해 인공호흡(≒기관내삽관)이 필요한가'라는 것입니다. 두개내압을 관리하기 위해 CO_2를 낮게 유지해야 하는 경우나 쇼크 환자에서 CO_2가 낮게 유지되고 있는지 확인이 필요한 경우 등의 매우 제한된 상황에서는 CO_2가 낮은지 확인이 필요하지만, 이런 경우에는 일반적으로 동맥혈 가스로 평가해야 할 것입니다. 즉, 정맥혈 가스에서 CO_2 증가가 없다 ⇒ 고이산화탄소혈증이 없을 것 같다 ⇒ 급하게 인공호흡이 필요하지는 않을 것 같다고 판단할 수 있습니다. 여러분이 근무하는 환경에 따라 다를 수도 있으나, 기관내삽관을 요하는 환자와 그렇지 않은 환자, 보통 어느 쪽이 더 많을까요?

CO_2 증가가 없다(=급하게 인공호흡이 필요하지 않다)고 판단할 수 있는 것의 유용성은 클 것 같습니다.

사실, 정맥혈 가스에 대해서는 유명한 의학 학술지에서도 최근 주제로 다루고 있으며, 산염기 평형은 정맥혈로도 대체적으로 평가가 가능한 것으로 알려져 있습니다. 대사성 산증 환자의 혈액가스는 동맥혈이든 정맥혈이든 대사성 산증이 됩니다. 대사성 산증 환자가 정맥혈이라면 대사성 알칼리증이 되어 버리거나, 그 반대가 되는 등 병리적 상태가 차례차례 바뀌어 버리는 경우는 없습니다. 환기와 산염기 평형의 선별 검사로 정맥혈 가스를 적극적으로 활용함에 따라 산염기 평형이 보다 가까워질 것입니다. 물론, 동맥혈 가스를 검사하지 않으면 안 될 환자를 놓칠 가능성도 낮아집니다.

수련의　정맥혈 가스분석을 할 수 있다면, 산염기 평형에 더욱 가까워지는군요!

간호사　예전에 제가 일하던 병원에서는 정맥혈 가스를 별로 검사하지 않았어요. 동맥혈 채혈에 실수해 정맥혈이 되더라도 반드시 동맥으로 다시 시도했었거든요.

수련의　물론 동맥혈 채혈인데 정맥에서 채혈하면 곤란하지요. 의식이 명료한 환자라면, 실수한 것을 그대로 알게 되는 거죠. 간호사님들이 눈치껏 작은 소리로 "V(정맥혈)예요"라고 알려줘도 분위기로 알아차립니다.

간호사　하지만 목적에 따라서는 정맥혈로도 OK인 경우도 있다는 거죠?

전문의　맞아요. 산소 공급 상태와 현재의 산소포화도를 알고 있으면, 적극적으로 동맥혈로 산소화를 평가할 필요는 그다지 없을 것 같아요. 나머지는 환기와 산염기 평형에 대한 평가인데, 정맥혈로 괜찮은 상황도 많아요.

수련의 $PvCO_2$가 정상 수치라면 $PaCO_2$도 정상 수치일 가능성이 높다고 하셨죠?

간호사 $PvCO_2$가 높았을 때는 어떻게 해야 하나요?

전문의 그때는 정맥혈로도 괜찮으니까, 우선은 산염기 평형을 살펴봐요. pH를 유지하지 못하고 산증이 두드러질 것 같다면……

수련의 기관내삽관입니다!

전문의 그렇죠? 삽관하기로 결정했다면, 삽관 후에 혈액가스를 재검사할테니 현시점에서의 재검은 불필요하다는 뜻이에요.

간호사 만약, pH가 유지되고 있다면요?

수련의 그런 경우에는 동맥혈 재검이 필요한 거죠?

전문의 그럴지도 모르죠. 하지만 pH가 유지될 수 있을 정도의 이상 상태라면, 현시점에서 재검하지 말고 잠시 시간 간격을 두었다가 재검해도 좋지 않을까요? 일정시간 모니터링도 할 수도 있고요.

간호사 음. 그런 말을 들으면 뭔가 자신만만해져서 정맥 채혈을 해놓고도 결과적으로는 괜찮다고, 오히려 통증이 적어 다행이었다고 큰소리칠 것 같아요!

전문의 그럴지도 모르죠. 덧붙이면, 동맥혈 채혈 시의 통증은 미리 3분 정도 얼음주머니를 대주면 통증이 완화된다는 근거가 있어요.

간호사 아하.

수련의 산염기 평형은 어떻습니까?

전문의 동맥혈 가스에 비해 정맥혈 가스는 pH가 약간 낮고(0.03 정도 낮다), HCO_3^-는 아주 조금 높은 것으로 알려져 있어요. 즉, 산염기 평형은 그다지 큰 변화는 없을 것 같다는 것이죠.

간호사 정맥혈 가스도 꽤 유용할 수 있는 것이군요.

수련의 정맥혈로 괜찮다면, 더 많은 검사처방이 가능합니다. 일반 채혈로 1 cc 정도 더 많게 채취하여 혈액가스를 클릭하기만 하면 되고, 환자 동의도 얻기 쉬워요.

간호사 오늘 공부로 혈액가스에 눈이 뜨인 것 같아요. 저 환자의 혈액가스도 알고 싶고, 저 환자도……. 동맥혈 혈액가스라면 담당 선생님에게 부탁해도 들어주지 않을 거라고 생각했는데, 정맥혈이라면 OK 해주실 것 같아요!

전문의 '정맥혈이라면 채취해 볼까'라는 생각을 시작으로, 혈액가스를 좀 더 가깝게 느껴졌으면 합니다. 인체의 항상성을 보기 위한 산염기 평형이기 때문에 이상적으로는 평상 시 채혈인 Na, K, Cl에 이어서 pH, HCO_3^-도 검사하면 좋겠다고 생각합니다. 임상현장에서 왠지 이상하게 귀가시키기에는 좀 불안한 그런 환자 있지 않아요?

수련의 있습니다! 전임의의 양해를 얻었지만, 어쩐지 불안한 환자분이 계세요.

간호사 뭔가 이상한데 환자도 우리 간호사도 잘 전달되지 않는, 귀가시키면 악화되어 구급차에 실려 올 것 같은 환자분 계시죠.

전문의 그런 환자의 정맥혈 가스를 검사하면, 실제 대사성 산증이 숨어 있거나 젖산 수치가 높거나, 혈당이나 헤모글로빈이 낮거나…… 돌려보내서는 안 될 환자를 놓치는 경우도 대폭 줄어들 것으로 생각해요. 임상현장 의료진의 '뭔가 이상하다'는 것은 아마, 무엇인가 이상이 숨겨져 있다고 생각해야 합니다. 그리고 그것을 잘 표현할 수 없다면, 혈액가스의 힘을 빌려 봐야죠. 사실 그렇게 해서 문제점을 알아차릴 수 있는 경우도 많으니까요.

session point

● 정맥혈 가스로 산염기 평형 이상을 간편하게 선별! 산염기 평형에 익숙해지자!!
● 평소 연습으로 정맥혈 가스를 확인하는 것만으로도 위험한 환자를 놓치지 않게 됩니다.

산혈증에서 칼륨 수치는 보통 높다 **column**

　pH와 칼륨(K^+) 사이에는 'pH가 0.1 감소될 때마다 K^+는 0.5 상승한다'는 관계가 있습니다. 정상 pH 7.40에서 K^+가 4.0이라면, pH 7.0에서 K^+는 6.0, pH 7.50에서는 3.5라고 합니다. '산혈증에서는 고칼륨혈증이 된다(보통 그렇게 된다)'고 기억합니다.

　반대로 말하면, 산혈증임에도 불구하고, 저칼륨혈증이거나 칼륨 수치가 정상일 때는 주의가 필요합니다. 병리적 상태가 개선되어 산혈증이 개선되면, 칼륨 수치는 감소되고 때때로 심실 세동 등의 부정맥을 일으키는 경우가 있습니다.

　원인 불명의 심폐정지 상태에서 소생한 경우에는 이 점에 주의가 필요합니다.

　실은 저칼륨혈증에 의한 심실 세동으로 심폐정지였던 경우도 있습니다. 모처럼 소생에 성공했는데, 또 저칼륨혈증으로 심실세동이 일어나지 않도록 주의해 주십시오.

정확한 가스의 추천

column

    소아나 임산부의 경우 일단 선별검사로 정맥혈도 가능하므로 혈액가스를 확인하도록 합시다. 소아는 증상을 충분히 호소할 수 없는 경우가 많고, 또 신체소견도 나오기 어려운 것으로 알려져 있습니다. 이러한 특수성 때문에 중증 병리적 상태를 놓치지 않고 진료하기 위해서라도 산염기 평형과 환기 선별검사로 평상 시 검사에 혈액가스를 추가하는 것이 유용합니다.

    임산부의 경우, 절대 중증 상태로 진행하지 않도록 하고 급성 악화를 방지하여 무조건 생명을 구하지 않으면 안 된다는 점에서는 소아와 마찬가지이며, 때로는 그 이상의 지상 명제가 됩니다. 임산부에게 산염기 평형 이상이 생기는 것은 응급 상태입니다. 신속하게 중재하지 않으면 태아에 대한 영향을 피할 수 없습니다. 임산부는 호르몬의 영향으로, 생리적으로 과환기 상태입니다. 즉, 임산부는 과환기, 저이산화탄소혈증일 수밖에 없다는 뜻입니다.

    $PaCO_2$ 관리의 목표 수치는 30~32 mmHg입니다. 임산부의 혈액가스에서 $PaCO_2$가 정상인의 정상 수치인 40 mmHg라면 초응급상태입니다. 요컨대, 산소화는 평소대로 보편적인 대처로 OK입니다. 결코 저산소혈증을 일으키지 않도록 관리해야 합니다.

    또, 임신 후기의 임산부는 생리적으로 순환 혈액량이 증가하는 경우도 있어, 다소의 출혈로는 혈압이 저하되지 않습니다. 이 점에 충분히 유의해야 하며, 임산부의 출혈 시에는 혈압이 저하되기 전에 조속히 파악하여 중재해야 합니다. 혈압이 내려가고 난 후에는 늦습니다. 임산부는 비임산부에서도 일어날 수 있는 외상 외에도, 태반 조기박리, 전치 태반, 자궁 내 출혈 등…… 출혈 위험 덩어리라고도 할 수 있습니다. 소아와 마찬가지로 혈액가스를 능숙하게 잘 사용하면 유용성이 클 것 같습니다. Hb도 함께 확인할 수 있고요.

① 투석실 ─────────────────────────

투석실은 혈액가스가 많이 이용되기 때문에 산소포화도의 유용성이 큰 곳 중 하나입니다. 혈액투석 중인 만성 신부전 환자를 예로 들어 보겠습니다. 만성 신부전 환자에서는 신부전 증상으로 요독증, 고칼륨혈증, 산염기 평형 이상(대사성 산증) 등이 일상적으로 발생합니다. 이런 환자에게 혈액가스는 어떤 식으로 도움이 될까요? 투석의 주된 역할은 전해질 교정, 중탄산염 보충을 통한 산염기 평형의 교정, 수분 제거에 의한 수분 균형의 개선입니다. 중앙검사실의 생화학 검사에 비해 고칼륨혈증을 신속하게 파악할 수 있고, 혈관 내 탈수 징후를 젖산 수치 등으로 얻을 수도 있습니다. 하지만, 가장 유용성이 높은 것은 아마도 산염기 평형 이상의 파악일 것입니다.

신장은 폐와 함께 산염기 평형을 관장하는 기관이기 때문에 신부전에서는 당연히 산염기 평형 이상이 발생합니다(기본적으로는 대사성 산증).

신부전으로 인한 대사성 산증이 있는 환자는 투석을 통해 대사성 산증이 개선됩니다. 전해질, 수분 균형도 교정됩니다.

투석환자의 경우, 제때 혈액가스로 평가하는 것이 유용하지만, 혈액가스를 검사하는 시기는 제각각입니다. 투석 전의 가장 나쁜 데이터를 평가하자는 경우도 있고, 투석 후 가장 좋은 데이터를 모니터링하는 경우도 있을 겁니다. 투석 중에는 회로 내의 채혈이 가능해서 혈액가스 검사를 쉽게 할 수 있습니다. 꼭 적극적으로 산염기 평형을 평가하는 습관을 들이도록 합니다.

덧붙여, 투석에 의해 대사성 산증이 개선되면 보상체계였던 $PaCO_2$ 감소도 불필요해져 $PaCO_2$는 증가합니다(정상 수치에 가까워집니다). 호흡수도 투석 이전의 빈호흡에서 감소되어 정상적이고 차분한 호흡으로 바뀌게 될 것입니다. 즉, 투석 전후의 호흡수는 빈호흡으로 시작되어 점차 감소되어 갈 것입니다. 투석 후, 호흡수의 개선이 없거나 혹은 빈호흡일 경우에는 반드시 평가를 실시하도록 합니다. 건체중(투석 후의 목표 체중)의 엄격한 설정으로, 수분이 매우 심하게 제거된(=혈관내 탈수) 경우도 있고, 무증후성 급성 심근경색 등을 일으키는 경우도 있습니다. 투석 환자는 당뇨병 등으로 인한 신경장애를 가지고 있는 경우가 많습니다. 보통 환자에 비해 증상이 나타나지 않기 때문에 호흡수 등 객관적인 소견을 중요시하는 것이 중요합니다.

"투석 후에 호흡이 안정되지 않으면, 합병증이 발생한 것이라고 생각하라!"

② 응급 부문

응급실, 응급외래…… 이곳 또한 혈액가스가 유용하게 이용되는 곳입니다. 응급실이라도 몇 분, 몇 초를 다투는, 정말로 긴급한 대처가 필요한 상황은 매우 한정되어 있습니다. 특히, 어려운 기도(difficult airway; 긴급하게 기관내삽관이 필요하지만 삽관이 어려운 경우), 호흡부전에 대한 기관내삽관과 인공호흡, 쇼크, 부정맥 등이 중요합니다.

어려운 기도에 관해서는 기본은 신체검진을 중심으로 평가·중재를 시행하기 때문에 혈액가스가 시급하지는 않습니다.

호흡부전에 관해서는 산소화·환기와 가스교환 평가를 실시하고, 특히 환기에 주의를 기울이는 것이 포인트입니다(즉, 혈액가스가 필요). 쇼크는 대사성 산증을 나타냅니다. 특히 혈압이 떨어지지는 않았지만, 쇼크라는 보상성 쇼크(비저혈압성 쇼크, 프리 쇼크라고도 한다)에 주의해야 합니다. 곧 급성으로 악화될 가능성이 높아 그 전에 원인을 찾아야 합니다.

부정맥에 관해서는 특히 고칼륨혈증에 주의가 필요합니다. 고칼륨혈증 특유의 심전도 변화를 볼 수도 있고, 때로는 이미 판별할 수 없는 매우 위험한 부정맥이 되었을 수도 있습니다. 이런 상황에서 중앙검사실의 전해질 검사 결과를 기다릴 여유가 없으므로, 곧바로 치료를 시작하면서 혈액가스 결과를 바탕으로 원인을 확인하고 교정할 필요가 있습니다.

세션 10 '정맥혈 가스의 추천'(→ p. 106~)에서 언급한 대로, 괜찮을 것 같지만 (예컨대 응급실에서 귀가시킬 것 같지만) 조금이라도 불안한 상황에서 간과하지 않기 위해서라도 혈액가스를 많이 이용해 주었으면 좋겠습니다.

호흡이 이상하다 → 혈액가스(특히 환기에 주의를 기울인다!)
쇼크 → 대사성 산증, 젖산 확인
고칼륨 혈증 → 치료는 혈액가스 결과로 시작
무엇인가 이상하다 → 정맥혈도 좋으니, 산염기 평형 선별검사!

③ ICU (인공호흡기)

저는 중환자전담 전문의이기 때문에 ICU, 인공호흡기에 관해서는 꽤 깊이 생각하고 있습니다. '집중치료'라고 하면, 인공호흡기를 적용하거나 지속적 신대체요법을 실시하거나, IABP나 PCPS와 같은 체외순환을 시행하는, 돈, 장비, 인력을 쏟아 붓는 치료라고 생각되기 쉽지만, 결코 그렇지 않습니다.

집중치료의 근간은 문제 해결과 근본 원인 제거에 있습니다. 열거하면 30개 이상의 문제 목록이 만들어질 복잡한 중증 환자, 문제점이 너무도 심각하여 회복하기 매우 어려운 환자……. 이런 환자에 대해 복잡한 문제점을 규명하고 근본 원인을 제거한다, 유동적으로 변화하는 우선순위에 대해 적절한 대증요법을 실시한다는 것이야말로 집중치료입니다.

고도의 의료기기를 능숙하게 사용할 수 있는 것도 중요하지만, 어떻게 이러한 침습적인 의료기기를 사용하지 않고 치료를 끝낼 수 있느냐가 중요합니다. 그리고 일정 확률로 발생하는 합병증을 조기에 발견하고 대처하고, 일상의 정규 업무를 철저히 하여 당연한 일을 매일 제대로 수행하는 것이야말로 ICU의 기본이라고 생각합니다.

이상 상태를 조기 발견한다는 점에서도 산염기 평형 확인은 빼놓을 수 없습니다.

소량의 채혈로 전해질, 젖산 수치, 혈당 등도 확인할 수 있는 혈액가스는 매우 편리합니다. 대화가 어렵거나 의사소통이 불편한 환자도 많이 있기 때문에 어느 정도 검사를 통한 객관적 정보를 확보하는 것이 유용합니다.

덧붙여서, 일상적으로 동맥관을 삽입할지, 혈액가스를 채혈해야 할지(그것에 의해 환자의 상태가 개선될지) 어떨지에 대한 결론은 나지 않았습니다. 일상적인 흉부 X-ray는 그다지 필요 없을 것 같다는 것은 알고 있습니다.

인공호흡관리 중에 동맥혈 가스를 검사한 경우, 반드시 그 검사 결과를 인공호흡기 알람에 반영하도록 합시다. 혈액가스를 검사할 때의 산소포화도 수치, 인공호흡기 파라미터(특히 호흡수와 분당환기량)는 중요하므로 반드시 적어 둡니다. 참고로 여러분이 열심히 기록하고 있는 최고 기도내압은 그 자체로는 그다지 유용하지 않습니다(전작 『세상에서 가장 유쾌한 인공호흡관리』 참조). 혈액가스 결과가 나오면, 이 책에 적혀있는 대로 침착하게 평가를 합시다. 포인트는 다음 세 가지입니다.

① 산소화에 관해 산소포화도와 PaO_2의 상관관계에 대해 확인해 둔다.
② $PaCO_2$ 수치를 분당환기량과 호흡수 알람에 반영한다.
③ 산염기 평형 등에서 적절한 $PaCO_2$ 수준을 찾는다.

이 중 ②에 대해 보충설명을 하겠습니다. $PaCO_2$ 수치와 분당환기량은 역상관관계로 알려져 있습니다. 분당환기량이 배가 되면 $PaCO_2$는 반감한다, 분당환기량이 반감하면 $PaCO_2$는 배가 된다는 의미입니다.

그러면 현재의 $PaCO_2$ 수치와 분당환기량을 알고 있는 상황에서 목표로 삼은 $PaCO_2$ 수치가 정해진다면, 자연스럽게 분당환기량이 정해지는 것입니다.

그리고 그 분당환기량과 역산한 호흡수(호흡수 = 분당환기량 ÷ 일회호흡량)를 인공호흡기에 설정하면 됩니다. 혹시 알람이 울렸을 때 혈액가스를 검사해 보면, 예상했던 대로의 $PaCO_2$가 나타나 있을 것입니다.

예를 들면……

현재의 $PaCO_2$ 45 mmHg, 인공호흡기의 분당환기량 8 L/min.
$PaCO_2$가 60 mmHg가 되면 알려줬으면 하는 경우:
$$45 \times 8 = 60 \times ? \qquad ? = 6$$
→ 분당환기량의 알람을 6 L/min로 설정. 알람이 울리면
$PaCO_2$는 60 mmHg.

$PaCO_2$가 30 mmHg가 되면 알려줬으면 하는 경우:
$$45 \times 8 = 30 \times ? \qquad ? = 12$$
→ 분당환기량의 알람을 12 L/min로 설정하면 된다.

라는 것입니다. 조금 귀찮긴 하지만, 간단하죠?

덧붙여, 분당환기량은 1분 동안의 총환기량이므로, 호흡수는 분당환기량 ÷ 일회호흡량입니다. 일회호흡량이 500 mL의 경우, 상기 분당환기량은 6 L/min에서 12회(6 L/min ÷ 0.5 L), 12 L/min에서 24회(12 L/min ÷ 0.5L)가 됩니다. 실제로는 사강 환기분의 오차가 나오지만, 임상적으로는 그다지 문제되지 않고 사용할 수 있습니다.

위험해, 산증이다! Bivon, Bivon······.

이런 대처는 임상에서 흔히 볼 수 있습니다. Bivon®은 중탄산나트륨($NaHCO_3$) 입니다. 혈액에 들어가면 나트륨과 HCO_3^-가 됩니다. HCO_3^-가 증가하면 과도한 HCO_3^-를 줄이기 위해 산염기 평형식은,

$$H^+ + HCO_3^- \rightarrow CO_2 + H_2O$$

으로 기울어집니다. 그 때문에 H^+가 감소하고(=산혈증이 개선된다), 대신 CO_2 생성이 증가하게 됩니다. 이때 생성된 CO_2는(호흡 상태가 정상이라면) 신속하게 폐에서 배출됩니다. 폐기능이 정상이라면 $PaCO_2$는 증가하지 않고, 호흡수나 일회 호흡량이 늘어나 보상해 줍니다.

즉, Bivon을 투여하면 산혈증이 개선되는 대신에 CO_2 생성이 늘어납니다. 호흡 기능이 나쁜 사람에게 Bivon을 투여하면, 생성된 CO_2가 잘 배출되지 않기 때문에 상태가 오히려 악화됩니다. 그러므로 Bivon은 호흡성 산증(CO_2 증가가 주 병리적 상태)에는 사용하지 말아야 하며, COPD와 같은 폐기능 장애가 있을 경우에는 매우 신중해야 합니다.

앞서 말한 바와 같이 Bivon은 HCO_3^-가 감소된 산혈증, 즉 대사성 산증을 개선합니다. 하지만, 일률적으로 투여하는 것은 근거가 없으므로 권장되지 않습니다. 특히, 심폐소생 가이드라인에는 일상적으로 사용하지 않고, 제한된 상황에서 선택할 수 있다고 되어 있습니다. Bivon 투여로 인해 상당량의 나트륨 과잉이 되거나, 혈액 내 산증은 개선되지만 세포 내의 산증은 진행되는 것으로 알려져 있습니다.

Bivon 투여가 허용되는 상황은 두 가지입니다.

첫 번째는 저혈압성 쇼크로 산혈증이 지나치게 강해서 카테콜라민 효과를 얻지 못할 때입니다. 산혈증에서는 카테콜라민 수용체의 민감도가 현저하게 저하됩니다. 그 때문에 '혈압이 낮아 산혈증이 개선되지 않는다 → 산혈증 때문에 카테콜

라민 효과가 없다 → 혈압이 상승하지 않기 때문에 더욱 산혈증은 진행한다'라는 악순환에 빠지게 됩니다. 이런 경우에는 Bivon을 약간 투여해 줌으로써, 산혈증이 개선되고 카테콜라민 효과를 얻을 수 있어 혈압은 상승하고 산혈증이 개선되는 흐름을 탈 수 있습니다.

두 번째는 만성 신부전과 같은 만성적인 중탄산염 결핍이 있는 경우입니다. 이 경우 Bivon 투여에 의한 합병증 위험도 적고, 보충에 의한 대사성 산증 개선을 기대할 수 있습니다. 대사성 산증이 개선되면 불필요한 투석을 막을 수도 있습니다.

또, Bivon은 고칼륨혈증 치료제로도 사용됩니다. 하지만 연구에 따르면, 고칼륨혈증에 대한 Bivon 투여는 효과가 적은 데다가 효과 발현까지 시간이 걸린다는 점이 지적되고 있습니다. 때문에, 현재 많은 교과서에서는 맨 처음 투여하는 약물에서 제외되었고, 단일제제로는 사용하지 말 것을 권하고 있습니다. 덧붙여, 고칼륨증 치료는 순서가 중요합니다.

① 우선, 부정맥 예방 칼슘

② 세포 내로 칼륨을 밀어 넣는 GI (포도당·인슐린) 요법

③ 칼륨을 체외로 배설하는 치료(투석, 이온교환수지, 이뇨제 등) 순으로 치료합니다.

Bivon은 세포 내로 칼륨을 밀어 넣는 선택 치료에 해당됩니다.

산혈증이기 때문에 Bivon이라는 안일한 대처를 하지 않도록 조심합시다.

산소포화도 [saturation of O_2]

> ※ 맥박산소측정기(pulse oximeter)로 측정하는 SpO_2 (경피적 산소포화도)와 혈액가스 분석에 의한 SaO_2 (동맥혈 산소포화도)가 있다. 이 책에서는 주로 전자의 의미로 사용한다.

A–aDO_2 폐포내 동맥혈 산소분압 차이 [Alveolar–arterial oxygen difference]

AG   음이온 차이 [anion gap]

ARDS   급성호흡곤란증후군 [acute respiratory distress syndrome]

BE   염기과잉 [base excess]

CaO_2 동맥혈 산소함량 [O_2 content in artery]

COPD   만성 폐쇄성 폐질환 [chronic obstructive pulmonary disease]

FiO_2 흡입산소농도 [fraction of inspiratory O_2]

HCO_3^- 중탄산염 [bicarbonate]

NPPV   비침습 양압환기 [non–invasive positive pressure ventilation]

$PaCO_2$ 동맥혈 이산화탄소 분압 [partial pressure of CO_2 in artery]

P_AO_2 폐포내 산소분압 [partial pressure of O_2 in alveolar air]

PaO_2 동맥혈 산소분압 [partial pressure of O_2 in artery]

PEEP   호기말 양압 [positive end–expiratory pressure]

PF 비 PaO_2/FiO_2(동맥혈 산소분압/흡입산소농도)

$PvCO_2$ 정맥혈 이산화탄소 분압 [partial pressure of CO_2 in vein]

PvO_2 정맥혈 산소분압 [partial pressure of O_2 in vein]

RQ   호흡상수 [respiratory quotient]

SaO_2 동맥혈 산소포화도 [saturation of O_2 in artery]

$ScvO_2$ 중심 정맥혈 산소포화도 [saturation of O_2 in central vein]

$S\bar{v}O_2$ 혼합 정맥혈 산소포화도 [saturation of O_2 in mixed venous blood]

SVR   체혈관저항 [systemic vascular resistance]

색 인

● 영문 A~Z

●저자 소개

古川力丸 (코가와 리키마루)

일본대학의학부 응급의학계 응급집중치료의학 분야
의료법인 코진카이(弘仁会) 이타쿠라 병원 응급부 부장
■ 전문: 집중치료의학(특히 인공호흡관리)
■ 주요 활동:
  • 미국 중환자의학회(SCCM) 인정 FCCS 강사, 디렉터
  • 동 PFCCS 강사, 디렉터
  • 미국 심장병학회(AHA) 인정 BLS 강사, PALS 강사
  • 인공호흡관리에 대해서 배울 수 있는 DVD 『전문의
    리키마루의 인공호흡관리 규정』(케어넷, 2012) 제작,
    서적 『세상에서 가장 유쾌한 인공호흡관리』(메디카
    출판, 2013) 저술
■ web상의 활동:
  • 인공호흡 관련을 중심으로 블로그, YouTube에서 계몽
    활동. 블로그는 매일 200명 이상 접속
  블로그
    http://blogs.yahoo.co.jp/rikimaru1979
  YouTube
    http://www.youtube.com/user/rikimaru1979